PERO QUIERO SER ENFERMERA
(SPANISH VERSION)

Pilar De La Cruz Samoulian

A mis dos hijos, Stephen y Jeffrey, cuyo amor ha sido constante a lo largo de los años y en cuyo apoyo he confiado siempre para superar los momentos difíciles.

Prólogo

Esta es la historia de una joven mexicana pobre proveniente de una familia numerosa y que, desde muy pequeña, tuvo el sueño de escapar del duro trabajo en los campos del Valle de San Joaquín para convertirse algún día en enfermera licenciada. En esta obra comparte las pruebas y tribulaciones que enfrentó junto con las muchas barreras colocadas en su camino hacia el éxito. Viniendo de un comienzo pobre, superó el abuso verbal, físico, emocional e incluso sexual mientras luchaba por encontrar su camino. Aferrada a su sueño, no permitió que nadie la disuadiera de su objetivo. Es una verdadera inspiración para cualquier persona que tenga el sueño de mejorar su vida y que crea que la educación, la dedicación y el compromiso son las claves para ayudar a superar cualquier desafío que la vida pueda traer.

Capítulo 1

Creciendo

Fui la primogénita de padres que eran trabajadores migrantes. Seguían los cultivos y viajaban por todo el Valle de San Joaquín trabajando en los campos, recogiendo cualquier cosecha que estuviera en temporada para poder ganarse la vida. Me dejaban con mis abuelos mientras trabajaban día tras día, viniendo a casa a visitarme únicamente los fines de semana. Entre semana, estaba al cuidado de mis abuelos monolingües que hablaban español quienes, junto con mis tías, vivían en un rancho de diez acres en un camino rural tranquilo en el condado rural de Fresno, junto al río Kings.

Vivían en una casa antigua que era fría en invierno, calentada solo por un pequeño calentador de madera, y caliente en verano, equipada únicamente con ventiladores para ayudar a mover el aire caliente. La casa no tenía baño interior y, si era necesario, se usaban orinales y baldes durante la noche. Durante el día, había visitas a la letrina que estaba oscura, calurosa y maloliente. Me sentaba sobre el agujero que me permitía hacer mi trabajo y recordaba siempre querer salir de ese pequeño cuarto oscuro lo más rápido posible. El miedo a las arañas y la posibilidad de ser mordida por una que estuviese escondida allí esperando por mí era una gran preocupación.

Siendo la primera nieta, recibí mi parte de mimos por parte de mis abuelos y tías. Una de mis tías era mayor y caminaba con mucha dificultad, arrastrando los pies de un lado a otro ya que había tenido polio cuando era niña, pero era muy cariñosa y siempre me mimaba. Ella era la hermana de mi padre. Mis otras tres tías eran hermanastras de mi padre y eran adolescentes. La pequeña cantidad de inglés que aprendí a una edad temprana fue gracias a ellas. También aprendí a amar la música, ya que la escuchaban en la radio y bailaban un poco. Eran divertidas, enérgicas y me adoraban durante la semana. Los fines de semana mis padres venían a casa y me recogían y me llevaban a la suya que estaba justo al lado.

A veces, me escabullía a la casa de mis abuelos y los visitaba, especialmente cuando mi abuela y mis tías hacían arroz con leche. Literalmente me paraba en una silla al lado de la estufa mientras mi abuela revolvía el arroz con leche, preguntando constantemente si estaba casi listo para poder comerlo. La música sonaba y yo bailaba encima de la silla al son de la música esperando ansiosamente para probar el arroz con leche. Por desgracia, mi madre me encontraba y me llevaba a casa. Derramaba lágrimas cuando mi madre me llevaba a casa antes de que se terminara de cocinar esa delicia. Sin embargo, sabía que mis tías siempre me llevarían un poco cuando estuviera listo.

Mis días consistían en jugar con mi muñeca y fingir que jugaba a las casitas hasta que me llamaban a la casa para comer. Mi abuelo tenía una vaca lechera que mis tías ordeñaban y traían la leche a casa para que todos bebieran. Durante la primavera, cuando las vacas comían el pasto verde recién crecido, la leche tenía un sabor terrible y era difícil de beber. Mis abuelos, tratando de asegurar una buena nutrición, insistían en que bebiera mi vaso de leche o tomara un tónico que sabía incluso peor. Sin embargo, mi elección siempre era la tónica, ya que era solo una cucharada en comparación con todo un vaso de leche. Hasta el día de hoy, la leche no es un alimento básico en mi dieta. Teniendo en cuenta que nunca bebí mucha leche, es sorprendente que mis resultados de densidad ósea sean siempre tan positivos. Debe ser por todo el helado que he comido a lo largo de los años.

Mis abuelos eran católicos muy devotos, y si mis padres no podían llegar a casa un fin de semana, yo iba a la iglesia el domingo con mis tías y mis abuelos. Una de mis tías, que luego se hizo monja, me tomaba de la mano y me conducía a la primera fila donde nos sentábamos durante toda la misa. Debe haber pensado que me comportaría bien si nos sentábamos delante. Hubo varios festivales de la iglesia como la celebración de Nuestra Señora de Guadalupe, donde mi abuela me hacía un vestido especial y me hacía desfilar disfrazada de China Poblana, con un vestido tradicional rojo, blanco y verde, los colores de México. Obedientemente me ponía mi vestido y caminaba en el desfile junto a mis tías, cantando y ondeando una bandera. Al final del desfile, mi cuerpo cansado rápidamente se dormía en el auto camino a casa.

Los domingos después de misa, y de camino a casa, mis tías me hacían preguntarle a mi abuelo si podíamos parar a comprar un helado en Foster Freeze. Sabían que mi abuelo probablemente no ignoraría mi solicitud y, efectivamente, se detendría y me compraría mi colita, un cono de helado de vainilla. Eso hacía que mi fin de semana fuese maravilloso, e iba feliz el resto del camino. Al regresar a casa, mi abuela y mis tías cocinaban una buena comida abundante, y todos comíamos y luego hacíamos la siesta. Durante los calurosos meses de verano, caminábamos hasta el río que corría junto a la propiedad y nos bañábamos en el agua fresca; a veces disfrutando de un pícnic junto al río.

Por la noche, dormía con mis tías y recuerdo que me contaban historias mientras me dormía. A veces me leían, pero sobre todo me contaban cuentos. Uno de mis favoritos era la historia de Peter Rabbit. Les pedía que me lo contaran una y otra vez, tanto en inglés como en español.

Después de haber vivido con mis abuelos y tías durante varios años, me volví muy cercana a ellos y lamenté dejar su hogar cuando mis padres construyeron una pequeña casa de tres habitaciones en otro rancho y nos mudamos allí. Cuando cumplí cuatro años, se estaban haciendo los preparativos para comenzar el jardín de infantes. La escuela a la que asistiría no tenía una clase de ese nivel en ese momento, por lo que mi madre, junto con otra, recorrió el área hablando con otros padres sobre comenzar una clase de jardín de infantes en la escuela, y esto se logró. Como mi cumpleaños era en noviembre, la escuela me permitió comenzar el jardín de infantes temprano, a la edad de cuatro años y medio.

Capítulo 2

Primeros años escolares

El primer día de clases fue aterrador. Mi madre me llevó a mi clase de jardín de infantes, pero como vivíamos en el campo y mi hermana había nacido, mi madre hizo arreglos para que yo tomara el autobús a casa desde la escuela. Como no estaba claro qué autobús tomar, simplemente me subí a uno sin saber si era o no el que pasaría por mi casa para dejarme después. Sin ver mi casa, me quedé en el autobús hasta que regresó a la escuela; en ese momento, las lágrimas rodaron por mi rostro porque no había visto mi casa, así que me quedé en el autobús. Cuando el autobús regresó a la escuela, el conductor notó que todavía estaba sentada en mi asiento y preguntó por qué. A través de mis lágrimas, pude explicarle la razón. El director de la escuela tuvo que llevarme a casa, pero antes de hacerlo, me indicó en qué autobús montarme en el futuro. Nunca tuve ningún problema con el autobús después de ese primer día de clases.

Mi inglés, por otro lado, era otro problema. Al haber hablado principalmente español en casa, mi inglés era pobre. Mis compañeros de clase se burlaban de mí por no poder decir las palabras correctamente. Cuando quería decir «silla» (*chair*), lo pronunciaba mal y decía «compartir» (*share*). Como no sabía decir baño, la palabra usada fue pipí. Sin embargo, como aprendía rápido, pronto hablaba con escaso o ningún acento y decía las palabras correctamente. Me encantaba jugar con todos los juguetes, especialmente con las casas de muñecas, me llevaba bien con los otros niños y rápidamente hice nuevos amigos. Los comentarios de mi maestro en mi boleta de calificaciones siempre fueron positivos y mis padres estaban orgullosos de mis logros. Practicar mi inglés se volvió muy importante para mí, y mi padre, preocupado de que pudiera perder mi español, siempre me hacía decirle lo que le había dicho en inglés en español. Él decía: «Me lo dijiste en inglés, ahora dímelo en español». Fue un dolor tener que repetir lo que le acababa de decir en ese momento, pero ahora estoy tan feliz de que lo hubiese hecho porque gracias a eso me volví bilingüe, una herramienta muy beneficiosa en el mundo hoy en día. A veces, cuando no recordaba cómo decir algo en español, añadía algo de «*Spanglish*».

Mi padre odiaba esto y decía con severidad: «O me lo dices en inglés o en español, pero no en ambos; ¡y no mezcles los idiomas!».

Mis padres eran los típicos padres mexicanos. Mi padre gobernaba la casa con mano de hierro; lo que decía, eso era. Mi madre hacía lo que mi padre quería y con frecuencia no cuestionaba ni iba en contra de sus deseos. Mi padre trabajó muy duro para mantener un techo sobre nuestras cabezas y asegurarse de que tuviéramos alimentos para comer. Compraba vacas lecheras y teníamos que ordeñarlas dos veces al día, temprano en la mañana y en la noche. Odiaba ordeñar las vacas y siempre nos apresurábamos para asegurarnos de que teníamos los tanques de leche listos para que el camión de la leche la recogiera antes de ir a la escuela. Mi madre usaba la crema de la leche para hacer queso y la vendía para ganar un poco de dinero extra. Odiaba escuchar que las vacas empezaban a mugir por la mañana, ya que eso significaba que era hora de levantarse y ordeñarlas antes de prepararse para la escuela. Se escuchaban gritos de alegría cuando mi padre finalmente vendió todas las vacas para pagar la cirugía de oídos de mi madre, ya que no teníamos ningún seguro en ese momento. Sin embargo, tener las vacas significaba que siempre teníamos carne en la casa, ya que mi padre sacrificaba una vaca joven y la llevaba a la despensa de alimentos para empaquetar la carne.

Mi familia estaba compuesta por mis padres, yo, mi hermana Esther, mi hermano Jesse, mi hermana Terri, mi hermanita Mattie y mi hermanito Eddie. Había diecisiete años de diferencia entre mi hermanito y yo. Un día, le pregunté a mi madre por qué no nos había tenido más juntos, ya que había tres y cuatro años de diferencia entre cada hijo, y parecía haber una división entre los tres mayores y los tres más pequeños. Rápidamente me informó que cuando creciera, me casara y tuviera mis propios hijos, podría tenerlos de la edad que quisiera. Sin embargo, incluso con la diferencia de edad, crecimos muy cerca uno del otro. Como la mayor, yo era la responsable y, a veces, me metía en problemas cuando uno de los más jóvenes se portaba mal. Trataba de dar un buen ejemplo para todos ellos y, a veces, tenía que cubrirlos para salvarlos de la ira de mi padre.

Mi madre era un alma muy amable, pero era bastante pasiva y le costaba mucho expresar su opinión o defenderse. Era una persona muy religiosa y se aseguró de que siguiéramos nuestra fe. Como ejemplo, cada año durante la Semana Santa, la semana antes de Pascua, ella no nos dejaba ver la televisión. La única vez que la televisión estaba encendida durante esa semana era cuando mi padre estaba viendo las noticias de la noche, y no se podía hablar ni hacer ruido mientras las miraba. Tal vez esa es la razón por la que me gusta ver las noticias de la noche.

Mi madre era el tipo de persona que siempre servía primero a mi padre, le abría el agua del baño, le arreglaba la ropa para la iglesia o cualquier evento especial, planchaba sábanas y fundas de almohadas y siempre hacía tortillas para el desayuno, el almuerzo y la cena. Cuando trabajábamos todos juntos en el rancho, llegábamos a casa a almorzar, y mis hermanas y yo la ayudábamos a preparar el almuerzo. A mi padre siempre le servían primero, y comía mientras aún cocinábamos las tortillas. Cuando finalmente pudimos sentarnos a comer, él ya había terminado y estaba listo para volver al trabajo. Por lo tanto, teníamos que apresurarnos si queríamos comer. A veces, los compañeros de trabajo y los amigos me preguntan por qué como tan rápido, y mi respuesta es que el hábito de comer rápido todavía sigue conmigo, incluso después de muchas décadas.

Las principales festividades eran muy parecidas a un día normal. Tendríamos que trabajar al menos parte del día y luego volveríamos a casa y prepararíamos la comida. En Nochebuena, trabajábamos en el campo la mitad del día y luego llegábamos a casa y teníamos que hacer los tradicionales tamales. Mi padre compraba de cincuenta a sesenta libras de masa (harina de maíz) y la mezclaba con manteca de cerdo para que quedara suave. Después de que hizo eso, su trabajo estaba hecho y teníamos que esparcir la masa sobre las hojas de maíz. Con tanta masa para untar y empezar tarde, a veces nos quedábamos despiertos hasta pasada la medianoche y terminábamos de hacer los tamales mientras mi padre dormía profundamente. A la mañana siguiente, teníamos que levantarnos temprano para ir a la iglesia. Los amigos de mi padre siempre parecían encontrar el camino a nuestra casa en Nochebuena porque sabían que estaríamos haciendo tamales, y siempre se iban con al menos una docena de ellos.

Éramos bastante pobres y no teníamos muchos regalos para abrir en la mañana de Navidad. Por lo general, si recibíamos un regalo, sería un par de pijamas que necesitábamos. Después de verlos, los envolvíamos y los colocábamos debajo de un árbol pequeño para tener algo que abrir por la mañana. Sin embargo, el día generalmente estaba lleno de familiares y amigos que venían de visita, y podíamos disfrutar el día sin tener que ir a trabajar y comiendo tamales.

Nuestros cumpleaños también eran un día más, pero mi madre siempre se aseguraba de que fueran especiales, ya que siempre nos preparaba nuestra comida favorita y horneaba un pastel para la celebración. Todavía puedo saborear los pasteles caseros que hacía con sus propias manos. Echaba de menos esos pasteles cuando yo estaba en la escuela de enfermería. Un año, mientras estaba en la escuela de enfermería, me compró un conjunto, me lo envió por correo postal y de alguna manera se perdió en el correo, por lo que nunca recibí un regalo de cumpleaños ese año.

Mis primeros años escolares transcurrieron básicamente sin incidentes. Temía el primer día de clases porque ninguno de los maestros podía pronunciar mi nombre correctamente. Mi primer nombre, Pilar, fue masacrado tantas veces, y mi apellido, Ybarra, era muy difícil de decir para ellos. Me decían Pelar, Pielar, Peelar, todo menos Pilar. Entonces, mientras luchaban por decir mi nombre, yo solo levantaba la mano para que se percataran de mi asistencia. Mi aprecio por mi primer nombre no se produjo hasta que crecí y me di cuenta de que era diferente a tantos otros nombres, y me empezó a gustar. Pero de joven, mi deseo era que mi nombre fuera cualquier cosa menos Pilar. Mis amigos se burlaban de mí y me llamaban Pilaf, y yo solo sonreía; mi inseguridad a temprana edad no me permitía corregirlos.

Tenía muchas ganas de llevar mi almuerzo a la escuela en una lonchera como los otros niños, pero mi padre insistía en que comiéramos un almuerzo caliente. Tan pobres como eran, de alguna manera lograron encontrar suficiente dinero para que todos pudiéramos comprar un almuerzo caliente todos los días. La escuela permitió que los estudiantes ayudaran a servir en la cafetería durante una semana a la vez, y durante esa semana, nuestro almuerzo era gratis, eso ayudó. Si bien no teníamos la mejor ropa ni la más elegante, mi madre se aseguraba de que siempre usáramos ropa limpia. La harina que usaba para hacer tortillas venía en un saco de algodón, a menudo con lindos diseños en el material. Ella usaba ese material para hacer ropa para nosotros, y las prendas de segunda mano definitivamente se usaron bien.

Mi maestra de segundo grado una vez me preguntó si sabía lo que quería ser cuando fuera mayor y le dije que quería ser enfermera. No tenía idea de cómo sucedería esto considerando lo pobres que éramos, pero recuerdo ver enfermeras con su uniforme blanco almidonado y sentir mariposas en el estómago. Mi mente me decía que algún día yo sería una de ellas.

Si bien aprendí el idioma inglés con bastante facilidad, mi comprensión de algunas palabras o instrucciones no siempre fue lo que debía ser. Los recuerdos de mi maestra de tercer grado una vez pateándome con la rodilla porque estaba frustrada conmigo porque no entendía un concepto y seguía haciendo preguntas todavía resuenan en mí incluso a día de hoy. Estaba muy dolida y avergonzada por ese incidente, pero nunca se lo dije a mis padres. Siempre traté de ser muy servicial y cortés con mis maestros y otros estudiantes y nunca tuve problemas en la escuela.

Mi madre siempre nos ayudaba a todos con la ortografía; de alguna manera, aunque tenía poca educación, sabía lo importante que era para nosotros poder deletrear correctamente. Entonces, todos los jueves por la noche, nos hacía practicar la ortografía de las palabras que íbamos a evaluar al día siguiente. Hasta el día de hoy, todos escribimos muy bien y le damos crédito a nuestra madre.

Durante mi cuarto grado fue cuando comenzó un período oscuro de mi vida cuando comencé a ser abusada sexualmente por un pariente. Desafortunadamente, esto continuó a través de los años, y nunca pude decírselo a mis padres porque no me habrían creído, así que simplemente lo soporté. No entendí realmente lo que me estaba pasando hasta más tarde, estaba demasiado avergonzada para decirle algo a alguien al respecto. Mi abusador siempre me decía que teníamos que mantenerlo en secreto entre los dos y, lamentablemente, le creí.

En la primavera de mi quinto grado, fui seleccionada por un club local en la ciudad para asistir a un campamento de verano con todos los gastos pagados. Como nunca había estado en un campamento, no sabía qué esperar. Esa sería la primera vez que estaría fuera de casa, así que estaba asustada y emocionada al mismo tiempo.

Fue una semana maravillosa en el campamento, conociendo nuevos amigos y aprendiendo a hacer manualidades, remar en un bote, sentarme junto a una fogata, asar malvaviscos y otras actividades. Fui a mi primer baile con un chico y disfruté muchísimo la experiencia. Después de una semana, llegó el momento de volver a la realidad de la vida, que significaba trabajar en el rancho de mi padre, recoger uvas y trabajar duro. Mis últimos años en la escuela primaria estuvieron llenos de actividades escolares. Me convertí en animadora de nuestra escuela, me uní a clubes como 4-H y la orquesta de la escuela, tocando el violín. Estaba tan orgullosa cuando mis padres finalmente pudieron asistir a una presentación musical y toqué un solo en mi violín. Mis padres pudieron ver que toda mi práctica había valido la pena, aunque estoy segura de que tuvieron que soportar momentos en los que mis prácticas sonaban más como una abeja volando que como música. Como estudiante de séptimo grado, mi instructor me seleccionó para formar parte de la orquesta escolar del condado de Fresno junto con estudiantes de otras escuelas del condado. Allí conocí a mi querida amiga Ana y desde entonces hemos sido mejores amigas.

Debido a que no asistíamos a una escuela católica, mi madre se aseguró de llevarnos a todos a clases de catecismo todos los sábados por la mañana para aprender sobre nuestra fe católica. Todos nos subíamos al auto y ella nos dejaba en la escuela católica donde teníamos clases por noventa minutos. Luego regresaba a recogernos y nos llevaba a casa.

Durante el séptimo grado es cuando los estudiantes católicos comenzarían a prepararse para recibir el sacramento de la Confirmación. Un sábado, mientras se preparaba para este sacramento, nuestro párroco, un hombre irlandés grande y alto con una voz retumbante, se paró justo frente a mí y con voz profunda preguntó: «Señorita Ybarra, ¿quién es el mediador entre nosotros y Dios?». Ahora, sin saber lo que significaba la palabra mediador y habiendo sido enseñada que existía el bien y el mal, mi respuesta en forma de interrogación fue: «¿El diablo?». En ese momento, en voz todavía más fuerte me dijo que saliera de su clase y entonces salí y me senté en un banco hasta que mi madre volvió a recogernos. Cuando me vio sentada afuera, me preguntó por qué y le informé que me habían echado de clase por mi respuesta. Más tarde me di cuenta de que la respuesta correcta era Jesucristo, pero para entonces ya era después del hecho. Logré hacer mi Confirmación, pero nunca olvidé ese encuentro y tampoco olvidé la definición de la palabra mediador.

Tuve mi primer novio y mi primer beso durante el octavo grado. Si bien me enamoré de otros chicos a partir del sexto grado, esta fue la primera vez que besé a un chico. El romance duró poco, ya que llegaron las vacaciones de verano y nos fuimos a la escuela secundaria. Mientras tanto estaba ansiosa por comenzar la escuela secundaria, lista para dejar la escuela primaria y seguir adelante con mi vida. Lo único que lamento de la escuela primaria fue que mis padres nunca estuvieron muy involucrados con mis actividades escolares. Mi padre no había asistido a la escuela ni un solo día de su vida, y mi madre solo había asistido hasta el octavo grado. Ella también tenía problemas de audición y estaba avergonzada por su discapacidad, por lo que no tenía apoyo en mis actividades escolares. Mi madre ni siquiera pudo asistir a mi graduación de octavo grado porque estaba en casa con mi hermanita que acababa de nacer. Traté de entender las razones de mis padres para no estar involucrados en mis actividades escolares y me prometí que cuando tuviera mis propios hijos, asistir a sus actividades sería de suma importancia sabiendo de primera mano lo importante que era contar con el apoyo de los padres.

Nuestros veranos consistían en trabajar largas y duras horas en el campo en los ranchos de mi padre haciendo trabajo pesado. No había tiempo ni dinero para vacaciones. A lo largo de la escuela primaria, siempre era vergonzoso el primer día de clases cuando el maestro les pedía a los niños que le contaran a la clase lo que habían hecho durante el verano. Muchos de los estudiantes contaban sobre sus viajes a la playa, a Disneyland, al Gran Cañón, viajes de campamento o visitas a Nueva York, Florida y otros estados. Nuestra respuesta siempre era la misma:

«Trabajamos en los ranchos de nuestro padre». Éramos la mano de obra de nuestro padre, así que cada día festivo y vacaciones escolares siempre trabajábamos. Si teníamos suerte, podíamos ir a visitar a nuestros tíos y tías por parte de la familia de mi madre en San José durante una semana. Si bien despreciábamos trabajar en el campo, nos dio la oportunidad de unirnos más a nuestra madre y hermanos y hermanas, y mi madre siempre usó el tiempo sabiamente dándonos consejos (sabios consejos) que todavía vivimos hoy.

Al graduarme del octavo grado a los trece años y no querer tener que trabajar en el rancho de mi padre, solicité un trabajo empacando fruta en una empacadora en un pueblo cercano. Mis dos tías trabajaban allí, así que mentí sobre mi edad y le dije al jefe que tenía dieciséis años en vez de trece y que iba a trabajar con mis tías solo para no hacerlo en el campo. Sin embargo, al ser demasiado joven, no pude seguir el ritmo de la carga de trabajo y, después de un par de semanas, me despidieron, así que volví al campo. Al ser la mayor de seis, tenía que trabajar como un chico, levantando objetos pesados y haciendo el trabajo que estaba destinado a los hombres. Por lo tanto, nunca conocí el glamur de hacer cosas de chicas como aprender a maquillarse o comprar ropa, asistir a fiestas de pijamas, ir al cine y simplemente pasar el rato con amigos. No había tiempo para tales juegos.

Como mencioné anteriormente, mis padres nos criaron en la fe católica y todas las noches rezábamos juntos el rosario en español. Rezar el rosario en español fue muy estresante para mí ya que no podía pronunciar correctamente todas las palabras del Padre Nuestro, y mi padre siempre se esforzaba por detener el rosario y hacerme repetir las palabras. Otras veces me gritaba por no poder pronunciarlas bien. Hice lo mejor que pude, pero parecía tener un bloqueo mental y siempre estaba en problemas con mi padre por mi incapacidad para decir la oración a su satisfacción. Mis padres nos bendecían a cada uno de nosotros todas las noches después del rosario, pero cuando mi padre se enfadaba conmigo, se negaba a bendecirme. Yo esperaba para recibir su bendición, pero era en vano y finalmente simplemente seguiría adelante para recibir la bendición de mi madre. Sus acciones me traumatizaron tanto que aún hoy, todavía me estreso cuando asisto al funeral de un familiar de habla hispana y el rosario se reza en español. Ser la única señalada y no ser bendecida a pesar de que sé que mis hermanos y hermanas tampoco podían decir todas las palabras correctamente, fue muy difícil. Tal vez eso es lo que sucede cuando eres la mayor de seis hijos. Esto definitivamente me marcó profundamente y me trae muchos recuerdos tristes de mi infancia. Realmente traté de aprender todas las palabras y pronunciarlas correctamente, pero debo haber tenido un bloqueo mental porque nunca pude decir correctamente la oración del Padre Nuestro en español. Lloraba hasta quedarme dormida muchas noches después de haber sido castigada y no bendecida por mi padre. Nunca pude entender por qué podía ser tan cruel, y después de un tiempo, dejé de pedirle su bendición.

Capítulo 3

Los años de la secundaria

Comenzar la escuela secundaria fue una experiencia totalmente nueva. Si bien la mayoría de mis amigos de la escuela primaria fueron a la misma escuela secundaria, asistieron muchos más estudiantes de otras escuelas. Había mucha gente nueva en la escuela y en mis diferentes clases. Pasar de una clase a otra también fue una experiencia diferente a estar sentada en un salón de clases durante todo el día. Pronto hice nuevos amigos con los que pasar el rato, ya que muchos de mis viejos amigos de la escuela primaria no estaban en mis clases de secundaria. Me encontré compitiendo con diferentes personas y tuve que aprender una nueva forma de ir y venir de clases a tiempo. Estaba asombrada de los estudiantes de último año, ya que parecían moverse por el campus con facilidad y sin estrés. Debido a que vivíamos en el campo, tomaba el autobús escolar hacia y desde la escuela todos los días. Si quería quedarme después de la escuela para una actividad, no podía porque no tenía quien me llevara a casa. Solamente se me permitía participar en actividades que eran durante el horario escolar. La distancia de la escuela también impidió que pudiéramos asistir a los partidos de fútbol ya que mis padres no querían llevarnos y venir a recogernos. De vez en cuando, mi decano de estudiantes sentía lástima por mí y venía a recogerme para que pudiera ir al partido de fútbol. Creo que, en mis cuatro años completos de escuela secundaria, solo asistí a cinco partidos de fútbol. Lo mismo ocurría con los bailes escolares. Todos mis amigos podían ir, pero yo tenía que quedarme en casa. Me encantaba la música y recuerdo bailar sola en mi habitación fingiendo que estaba en el baile. Escuchaba historias de mis amigos sobre lo divertido que había sido y todo lo que podía hacer era sonreír.

Dos de mis tías se habían ido a la universidad: una a la escuela de enfermería en el Área de la Bahía y la otra a Fresno State. Mi única tía en la escuela de enfermería conoció a un hombre casado, se enamoró y abandonó la escuela. Mi otra tía conoció a un hombre, quedó embarazada y se fue de Fresno State. Por lo tanto, tomé la peor parte y sufrí por su comportamiento, por lo que mi padre controló mis actividades con mano de hierro. Traté de comprender sus preocupaciones, pero sentí que me habían engañado al no poder disfrutar mis años de la secundaria. Mi primer año de secundaria pasó rápido y, antes de darme cuenta, estaba en segundo.

Comencé mi segundo año agradeciendo que ya no éramos los más novatos. Si bien ya no éramos estudiantes de primero, al menos ya no éramos los recién llegados. Las clases se estaban volviendo más difíciles y tuve que dedicar más tiempo a mis estudios, especialmente en español. Aunque era bilingüe, Español II consistía en conjugar todos los verbos que simplemente no tenían sentido para mí, así que realmente tuve dificultades con ese tema. Continué uniéndome a clubes escolares y participé en tantos eventos como pude durante el horario escolar. Los nuevos maestros tenían expectativas diferentes y algunos eran difíciles de complacer, pero seguí intentándolo. Mis notas se mantenían estables a pesar de que trabajaba en el rancho. Tenía envidia de mis compañeros de clase que no tenían que trabajar tan duro y que realmente pudieron disfrutar de sus años de escuela secundaria.

Hacia la última parte de mi segundo año, me llamaron a la oficina de mi consejero para discutir mis planes para el futuro. Me preguntó: «¿Qué quieres hacer cuando te gradúes?».

Mi respuesta rápida fue: «Quiero ser enfermera».

Mi consejero me miró de forma extraña, sacudió la cabeza y me dijo: «No, tú eres pobre y eres mexicana, vas a ser secretaria».

Mirándolo perpleja, mi respuesta fue «No quiero ser secretaria, quiero ser enfermera».

Su respuesta fue: «Nosotros sabemos más», y con esas palabras, se estableció mi plan de estudios para el resto de mis años de escuela secundaria. Si esas palabras se dijeran en los tiempos de hoy, probablemente se considerarían discriminatorias, pero esto fue en la década de 1960 cuando muy pocas personas se atrevían a desafiar a la autoridad.

En consecuencia, el plan de estudios de mi tercer año consistía en todos los cursos de tipo secretarial, mecanografía, taquigrafía, negocios, todas las clases que eran fáciles para mí. Me di cuenta de que me encantaba escribir a máquina y estaba escribiendo y tomando taquigrafía a ochenta o noventa palabras por minuto. Pero si bien las clases eran realmente agradables, no me hicieron cambiar de opinión en cuanto a mi meta de convertirme en enfermera. Vi la educación, y específicamente la carrera de enfermería, como una forma de salir de la pobreza, y aquí estaba mi consejero tratando de quitarme el sueño de convertirme en enfermera. ¡Cómo se atrevía a hacer eso! Sin saber a quién decirle o con quién hablar sobre eso en ese momento, me guardé mis sentimientos, diciéndome que algún día, de alguna manera, mi meta de convertirme en enfermera se haría realidad. Me uní al Club de Futuras Enfermeras y la enfermera de la escuela se convirtió en mi mentora, y ella me animaba a mantenerme enfocada en convertirme en enfermera. Me informó que el hospital local estaba comenzando una primera clase de voluntariado, y les rogué a mis padres que me permitieran asistir. Se requería un uniforme, y no estaba segura de que mis padres pudieran pagarlo, pero con un poco de suerte pudieron comprarlo. Me invadió un sentimiento de orgullo y felicidad cuando me puse el uniforme por primera vez y fui como voluntaria al hospital. Me encantaba ser voluntaria y trabajar con los pacientes; esto me confirmó que realmente quería ser enfermera.

Después de cumplir dieciséis años, mi sueño de empezar a trabajar en una empacadora se hizo realidad y pude conseguir un trabajo durante el verano; cualquier cosa para sacarme de los campos. Me las arreglé para mantener mi trabajo esta vez y gané el dinero adecuado que se reservó para la escuela. Sin embargo, como estudiantes, solo se nos permitía empacar frutas de árboles, así que cuando terminó la temporada a fines de julio, nos despidieron y tuvimos que buscar otro empleo. Así que fui de vuelta a los campos. Durante el pico de la temporada, trabajábamos largas horas en la empacadora, hacíamos horas extras e incluso doble jornada. Fue entonces cuando pudimos ganar más dinero, pero fue muy agotador. Miraba a las mujeres que volvían año tras año a trabajar en las empacadoras y me preguntaba cómo lo hacían sin tener ninguna esperanza de hacer un cambio en su vida. Mi futuro se veía diferente al de ellas, y por eso estaba feliz y agradecida.

Las vacaciones escolares de invierno siempre fueron duras, ya que teníamos que trabajar en el frío, a veces en condiciones extremas. Mi padre nos despertaba a las cinco y media de la mañana y a las siete ya estábamos en el campo podando las vides. a lo largo de la hilera mientras pasábamos de vid a vid para ayudarnos a mantenernos calientes. Mi madre nos hacía burritos que almorzábamos después de calentarlos en la parrilla al fuego. Eran burritos simples, pero sabían muy bien y nos permitían seguir mientras tratábamos de mantenernos calientes junto al fuego. Como nunca aprendí a podar las vides correctamente, mi padre me mandaba a atarlas. Yo era buena en esto y muy rápida, pero de vez en cuando, una de las ramas de vid que acababa de atar se soltaba y se rompía y me golpeaba en la cara. El escozor de los golpes era muy doloroso ya que hacía mucho frío y mi cara se sentía congelada. Mi ira se apoderaría de mí y me hacía partir las ramas por la mitad; por suerte, mi padre nunca se enteró. Cuando estaba sola atando ramas es cuando mi mente me permitía soñar despierta y decirme a mí misma que algún día ya no tendría que trabajar tan duro en el frío. No podía esperar a que llegara ese día.

Mi padre cultivaba uvas Thompson para hacer pasas y, a veces, cuando amenazaba con llover y las uvas todavía se estaban secando en el suelo, teníamos que trabajar muy rápido y duro para ponerlas en bandejas e intentar que no se mojaran. En otoño anochece más temprano, así que para tener luz y seguir trabajando, usábamos las luces del automóvil para poder ver lo que estábamos haciendo, tratando de enrollar las bandejas. Trabajábamos hasta alrededor de las ocho y media o nueve de la noche antes de que pudiéramos ir a casa, y una vez allí, cenábamos y luego todavía teníamos que estudiar para mantenernos al día con nuestras calificaciones. Ahora, a mi padre no le gustaba ver ninguna puntuación más baja que una B en nuestras boletas de calificaciones, pero era difícil trabajar hasta altas horas de la noche y luego tener que volver a casa y hacer la tarea. Como mi padre trabajaba en el turno de la noche en ese momento y salía a las tres y media de la madrugada, le dejaba una nota y le pedía que me despertara cuando llegara a casa para levantarme a estudiar. Durante el invierno, agregaba más madera al calentador de leña, nuestra única fuente de calor, para que fuera agradable y cálido para mí. Esta acción me permitió mantener mis A y B. Me ayudó levantarme temprano en la mañana para estudiar, ya que la información estaba fresca en mi mente y definitivamente me ayudó a aprobar mis exámenes.

Trabajar para mi padre nunca fue fácil. Finalmente lo habían cambiado al turno de día en el trabajo, y ahora estaba en casa por las noches. Nos presionaba mucho, nunca parecía estar satisfecho con la cantidad de trabajo realizado y les decía a sus familiares que éramos flojos. Si hacíamos algo malo a sus ojos, nos azotaba con un bastón de una de las vides. A menudo me abofeteaba y me decía en español que era estúpida y tonta. Nunca sabíamos en qué tipo de estado de ánimo estaría cuando llegara a casa del trabajo. Mientras estábamos sentados en la cocina hablando con nuestra madre después de la escuela, tan pronto como lo veíamos detenerse en el camino de entrada, salíamos e íbamos a nuestra habitación y nos quedábamos allí hasta que teníamos que salir para ayudar con la cena. Si estábamos trabajando con él en el rancho y queríamos contarle algo que había pasado en la escuela, nos detenía y nos decía que no era momento de hablar sino de trabajar. Yo, junto con mis hermanos y hermanas, sufrimos abuso emocional, físico y verbal por parte de él. Me tomó muchos años de mi vida adulta perdonarlo y darme cuenta de que él no sabía nada mejor ya que su padre había abusado de él cuando era niño. Gracias a Dios por nuestra madre que, a su manera, nos mostró el amor que buscábamos desesperadamente.

Cuando estaba en el último año de la escuela secundaria, a veces pasaba la noche en la casa de mi tía, ya que mi tío trabajaba de noche cada dos meses y a ella no le gustaba quedarse sola. Mi amiga que vivía al final de la calle vino una noche y decidimos cortarme el pelo largo, ya que sería más fácil de peinar cuando me preparara para ir a la escuela. Cuando fui a casa y mi padre notó que mi cabello estaba más corto, se enojó muchísimo. Decidió que necesitaba ser castigada por cortarme el cabello y encontró algunas rocas, las colocó en el piso frente a nuestro altar donde la familia rezaba y luego me hizo arrodillarme sobre las rocas con los brazos extendidos durante un largo período de tiempo. No podía bajar los brazos y el dolor de la extensión constante era insoportable. Fue difícil entender el castigo ya que mi única acción había sido cortarme el cabello. Recuerdo haberle preguntado entre lágrimas por qué estaba siendo tan malo, pero no recibí respuesta. Mi sensación fue que este era un castigo cruel e inusual y decidí huir de casa. Empaqué algunas cosas en una bolsa y salí en mi bicicleta. Sin embargo, no llegué muy lejos, ya que mi madre se dio cuenta de lo que había ocurrido y me persiguió para llevarme de regreso a casa.

En otra ocasión, mientras hacía ejercicio en el rancho con él, mi nariz seguía goteando y goteando. Me quedé sin Kleenex y también estaba sollozando y cuando se cansó de mi sollozo constante, se me acercó y me apretó la nariz con tanta fuerza que me empezó a sangrar. Me sentí tan herida y me preguntaba por qué era tan malo conmigo. Más tarde, mi prueba de alergia mostró que yo era alérgica al polvo y por eso mi nariz siempre goteaba; estaba más allá de mi control. Estas experiencias me enseñaron que esto equivalía a abuso infantil y me prometí que algún día, cuando tuviera mis propios hijos, nunca serían tratados de esta manera.

Trabajar en el campo también me enseñó que había otra forma de ganarse la vida además de recoger uvas, atar vides y palear hierba, y eso era con una buena educación. Sabía con certeza que ir a la universidad era la respuesta, y este fue el comienzo de mi transformación. Más tarde nos dimos cuenta de que hacernos trabajar tanto en el campo era la forma de nuestro padre de hacernos odiar el trabajo del campo para que fuéramos a la universidad; psicología inversa, supongo.

En mi último año, me colocaron en un programa de trabajo y estudio durante dos períodos durante todo el año. El objetivo de mi consejero seguía siendo prepararme para convertirme en secretaria después de graduarme. En contra de mis deseos, me enviaron como secretaria a una escuela católica local. Caminaba a la escuela, hacía trabajo de secretaria durante los dos períodos allí y luego regresaba a la escuela secundaria por el resto del día para asistir a mis otras clases. Trabajar para las monjas en la escuela católica reforzó mi creencia de que estaba absolutamente segura de que no quería ser secretaria. Aprendí a usar los diversos equipos de secretaría que estaban disponibles en ese momento, como el mimeógrafo, el uso de copias al carbón, fotocopiadoras, etc. Parecía que no importaba cuánto trabajo se hiciera para las monjas, siempre tenía más trabajo esperándome. Era aburrido y me molestaba estar allí, pero hacía lo que me indicaban todo el tiempo diciéndome a mí misma que algún día sería enfermera, no secretaria. No podía entender por qué mi consejero insistía en que me convirtiera en secretaria y me preguntaba cuántos otros estudiantes, en particular estudiantes pertenecientes a minorías, se veían obligados a seguir carreras que no les interesaban.

No era muy asertiva cuando estaba en la escuela secundaria. Mientras crecíamos, nos dijeron que no habláramos hasta que nos hablaran; se consideraba una falta de respeto. Nos enseñaron a respetar a nuestros mayores, ya que generalmente sabían más y también sabían qué era lo mejor. En consecuencia, cuando se nos daba una directriz, por lo general hacíamos lo que se nos decía. Para no pensar en ello, me uní a una serie de organizaciones estudiantiles y me involucré en actividades y comités escolares. Incluso me postulé para la oficina de la escuela tanto en mi tercer año como en el último. Desafortunadamente, nunca tuve éxito en obtener un cargo.

Finalmente llegó el día de la graduación y mis padres me iban a hacer una fiesta. No podían permitirse un regalo y una fiesta, así que había ahorrado suficiente dinero para comprarme un reloj, que era lo que yo quería, y me lo compré. Mis tías y tíos juntos me compraron mi primer tocadiscos. Me encanta escuchar música, siempre había querido uno, así que me emocioné mucho cuando llegó este regalo. Este era el mejor regalo que jamás había recibido.

Cuando llegó el momento de preinscribirse en la universidad, no sabía en qué clases inscribirme para mi primer año. Como no tenía a nadie en mi familia a quien pedir consejo, hice lo mejor que pude. Sabiendo que las clases de ciencias serían obligatorias para la escuela de enfermería, seleccioné clases de anatomía, fisiología, psicología y sociología. Recé para que mis acciones hubieran sido correctas. Cuando terminé mi último año y se entregaron las becas, me dieron una beca completa para un programa de nueve meses en una escuela de negocios; todavía me presionaban para que me convirtiera en secretaria. Decepcionada, mantuve la calma y devolví rápidamente la beca a la escuela.

Cuando mi padre se enteró de que devolví la beca, me preguntó: «¿Por qué devolviste la beca que te dio la escuela? Sabes que no tenemos el dinero para enviarte a la universidad».

Mi respuesta enfática fue: «¡Pero, papá, no quiero ser secretaria, quiero ser enfermera!».

Su pregunta obvia para mí fue: «¿Y cómo planeas hacer eso?».

Mi respuesta inmediata fue: «No tengo ni idea. Solo sé que quiero ser enfermera».

Ese verano mi abuelo nos echó de nuestra casa. Le había dado a mi padre un terreno en su rancho para construir nuestra casa, y habíamos vivido allí durante muchos años, pero después de una discusión con mi padre, nos dijo que nos fuéramos. Así que nuestros padres encontraron una casa al otro lado del camino de tierra de mi tía y mi tío en tres acres que compraron y nos mudamos. Era una pequeña casa de madera de tres dormitorios, pero al menos teníamos un hogar. Nunca habíamos podido pagar un teléfono, pero esta casa tenía un teléfono, así que por primera vez pudimos comunicarnos con nuestros amigos por esa vía. Nuestra familia había llegado por fin al siglo XX. Era agradable vivir justo al otro lado de la calle de nuestra tía, tío y primos, y la vida era buena.

El verano después de graduarme volví a trabajar en la empacadora durante la temporada de árboles frutales para ganar dinero para la universidad. Después de que terminó la temporada de empaque de frutas, volví nuevamente al campo a trabajar. Recuerdo haber conseguido un trabajo recogiendo tomates y bayas, ambos trabajos muy duros. Odiaba estos dos trabajos, pero cuando necesitas dinero, no puedes ser exigente. La supervivencia vino a través de mí, diciéndome que algún día tendría un buen trabajo, una linda casa y un lindo auto nuevo. Mi ensoñación de alguna manera haría que el trabajo duro fuera más fácil y menos doloroso. Esa esperanza fue lo que me mantuvo en marcha.

Si bien no se cobraba matrícula en el colegio comunitario local, había que pagar cuotas estudiantiles y comprar libros. Trabajé muchas horas ese verano y ahorré todo el dinero que gané para pagar mis gastos escolares. Septiembre llegó pronto, y era hora de empezar la universidad. Mientras estaba emocionada y pensando que todo estaba listo, hubo un gran problema. Mi familia solo tenía un automóvil y mi padre lo usaba para ir a trabajar, y como vivíamos en el campo a unas cinco millas de la universidad, llegar al campus iba a ser un desafío. Mirando opciones, y dado que mi hermana todavía estaba en la escuela secundaria y viajaba en el autobús escolar, decidí simplemente viajar en el autobús con ella. Mi plan era bajarme en la escuela secundaria y caminar hasta la universidad al final de la calle. Eso funcionó durante aproximadamente dos semanas hasta que se descubrió que ya no era estudiante de secundaria y me informaron que no estaba permitido viajar en el autobús. ¿Y ahora qué? ¿Cómo llegaría a la universidad ahora? Afortunadamente para mí, una de mis amigas que vivía cerca tenía su propio automóvil y se ofreció a recogerme y llevarme a la universidad. Esta era una buena solución, pero el único problema era que tendría que ajustarme a su horario, por lo que a veces eso significaba ir a la escuela temprano o quedarme hasta tarde hasta que ella terminara sus clases y pudiera dejarme. Oh, bueno, al menos tenía quién me llevara.

Todavía tenía en la cabeza la idea de convertirme en enfermera, pero no tenía ni idea de a qué escuela de enfermería iría. Ni siquiera sabía que dos universidades en pueblos cercanos tenían cada una un programa de enfermería. Tampoco sabía a quién pedir consejo. Sin embargo, mi tío que vivía en San José sabía de un programa de enfermería en un hospital de San José y me dijo que debería aplicar a esa escuela. Como no sabía mucho sobre la escuela, mi decisión fue que también podría presentar una solicitud y esperar lo mejor. Se envió una solicitud a la escuela y, después de un mes, recibí una invitación para visitar la escuela de enfermería. Tuve que tomar un examen de ingreso, y debido a que matemáticas era mi puntuación más baja, un requisito para la admisión era tomar una clase de recuperación de matemáticas. Así lo hice. Si un estudiante cumplía con los requisitos para la admisión, entonces se programaba una entrevista individual en el futuro antes de tomar una decisión final sobre la admisión. Todo lo que podía hacer ahora era esperar y rezar.

Se acercaban los exámenes finales del semestre, y el viernes antes de la semana de exámenes finales, llevé todos mis libros de texto a casa para estudiar. Esa noche, la organización de Veteranos de Guerras Extranjeras de mi padre estaba organizando una cena de Navidad para los miembros y su familia. Todos fuimos y lo pasamos bien, y hasta Papá Noel estaba allí repartiendo regalos a todos los niños. Estaba muy nublado cuando salimos para regresar a casa esa noche, y a medida que nos acercábamos a nuestra casa, pudimos ver lo que parecía una nube de humo. Cuando llegamos a nuestra entrada, vimos que nuestra casa estaba envuelta en llamas. Rápidamente salimos de nuestro auto, y mi padre y yo tratamos de entrar a la casa. Todo lo que quería era sacar todos mis libros de texto de mi habitación junto con mi tocadiscos. Nunca había tenido un tocadiscos y lo atesoraba. Traté de volver a mi habitación, pero el humo era demasiado y tuve que dar la vuelta y salir de la casa. Me quedé allí con mi familia y vi cómo nuestra casa se quemaba hasta los cimientos. Todo lo que nos quedó fue la ropa que llevábamos puesta; todo lo demás se había ido. Nos quedamos sin hogar y sin lugar a donde ir; una familia de ocho (seis hijos y los padres) no es fácil de reubicar. Nos mudamos con mi tía y mi tío, que tenían cuatro hijos propios, y los catorce vivimos bajo el mismo techo durante dos semanas hasta que mis padres pudieron encontrar una nueva vivienda para nosotros.

Estaba totalmente deprimida. Los libros que había traído a casa para estudiar y que planeaba devolver a la biblioteca para comprar libros nuevos para el próximo semestre ya no estaban. Pensé que mis posibilidades de ir a la escuela de enfermería se habían desvanecido en el fuego. Quería rendirme, pero la gente en una pequeña comunidad es muy buena y todos se unieron a nosotros, nos trajeron comida, muebles, ropa y utensilios para ayudarnos a recuperarnos. Las iglesias nos dieron dinero y otras organizaciones también nos ayudaron económicamente. Una organización local, el Club de Leones, se acercó a mi padre y le dio un cheque de $200 para ayudarnos. Querían que usáramos la mitad del dinero para comprar ropa y la otra mitad para comprar utensilios de cocina, y le pidieron a mi padre que cobrara el cheque lo antes posible. Con mucho gusto y agradecimiento aceptamos la donación. Recuerdo que mi madre nos llevó a la tienda JCPenney local donde pudimos comprar dos conjuntos nuevos. Ya habíamos estado en la tienda del Ejército de Salvación y recogimos un par de mudas de ropa. Desafortunadamente, cuando el Club de Leones se enteró de que mi padre era dueño de dos ranchos, pidieron que les devolvieran la donación. ¡Sentían que no lo necesitábamos! No podíamos entender cómo el hecho de que mi padre tuviera dos ranchos podía reemplazar las cosas que acabábamos de perder y la ropa que necesitábamos de inmediato. Mi padre, un hombre orgulloso devolvió el dinero en su totalidad, y nunca he olvidado este incidente. Una lástima, Club de Leones.

Cuando finalmente nos instalamos en nuestro nuevo hogar, le dije a mi madre que supuse que no podría viajar a San José para mi entrevista en la escuela de enfermería. Ella me informó que mi suposición estaba equivocada y me dio dinero para llegar a San José. Subí a un autobús Greyhound y mi tío me recogió y me llevó a la entrevista. Pasé la entrevista con gran éxito, y mi sueño de asistir a la escuela de enfermería y convertirme en una enfermera licenciada se estaba haciendo realidad. Yo estaba flotando en las nubes.

A principios de febrero de 1965, me enteré de que me habían aceptado en la escuela de enfermería para la cohorte que comenzaría en septiembre de 1965. Estaba tan emocionada que casi no podía contenerme, pero aterricé de nuevo cuando me di cuenta de que todavía debía terminar mi semestre actual. Mis padres estaban sorprendidos y felices por mí. A medida que se acercaba septiembre, me ponía más y más nerviosa y emocionada al mismo tiempo. Seguía preguntándome si estaba soñando, ¿sería capaz de pasar el programa?, ¿qué pasaría si fallaba? Lo que empeoró las cosas fue que mi madre me dijo que, si fallaba, no solo estaría decepcionando a mi familia sino a toda mi ciudad natal; me hizo sentir bastante mal con su comentario.

Capítulo 4

Hacia la escuela de enfermería

Cuando finalmente llegó el día de irme, nuestro automóvil familiar tenía muchas millas y no podría haber subido Pacheco Pass para llegar a San José, así que mi madre y yo tomamos el autobús Greyhound. Tenía miedo de irme de casa, de mis hermanos y hermanas y de mis amigos. Mi miedo de no querer defraudar a nadie era casi paralizante, pero estaba decidida a alcanzar mi meta. Como el fuego había quemado todas nuestras pertenencias, solo teníamos una maleta en la que no cabía toda mi ropa. Así que hice lo mejor que se me ocurrió: empaqué el resto de mi ropa en una caja de cartón envuelta con cordel. Como ya no tenía tocadiscos, me había comprado una radio AM/FM que me puse debajo del brazo. Imagínense las miradas en los rostros de mis nuevos compañeros de clase cuando entré en el vestíbulo de nuestra residencia universitaria con una maleta y una caja de cartón atadas con una cuerda. Las miradas en sus rostros eran como, *¿de dónde ha salido esta pueblerina?* Mientras miraba alrededor del vestíbulo, no vi a nadie que se pareciera a mí. Siendo la única hispana en mi clase, me sentía bastante sola, pero estaba decidida a no desperdiciar mi oportunidad de alcanzar mi sueño de convertirme en enfermera titulada.

Me asignaron mi habitación y conocí a mi nueva compañera de cuarto, Jeannie, que vivía en San José junto con otros compañeros estudiantes de enfermería. Conocí a una chica llamada Jeanne de San Luis Obispo que era muy amigable junto con otra chica de Gilroy. Recuerdo encontrarme con ella en el baño y preguntarle cómo se llamaba y ella respondió: «Teddie».

Pensando que ese era su apodo, le pregunté de nuevo: «Entonces, ¿cuál es tu verdadero nombre?» y ella nuevamente respondió sonando un poco irritada y dijo: «Mi nombre es Teddie».

Como mi madre estaba en la ciudad, mis tías y tíos se reunían para cenar y me invitaron a unirme a ellos, pero rechacé y decidí pasar el rato con mis nuevas amigas. Al día siguiente, hubo una recepción para todos los nuevos estudiantes y sus padres. Mi madre vino con una de mis tías y tíos a la recepción y se hicieron las presentaciones de mi nueva compañera de cuarto y sus padres. Pronto, la recepción terminó y era hora de que mi madre se fuera. Le di un largo abrazo y un beso antes de que se marchara. Odiaba verla irse y me sentía sola y asustada, pero me di cuenta de que este era ahora mi nuevo hogar. Tenía que hacerlo lo mejor posible. Las lágrimas corrían por mi rostro mientras me bendecía, y pronto, salió por la puerta. Ahora estaba sola.

El primer día de clases fue toda una experiencia ya que interactuamos con todos los nuevos compañeros; eran de diferentes partes del estado. Conocimos a nuestro director, facultad y personal residente. Nos dijeron que no todos lograríamos completar el programa, ya que era un curso de estudio difícil y que tendríamos que trabajar duro para tener éxito. Nos dijeron la verdad, ya que comenzamos con treinta y seis estudiantes, pero terminamos nuestro primer año con solo veinte. Nos dieron nuestros uniformes y libros de texto y nos colocaron en nuestro primer curso, Fundamentos.

En la escuela de enfermería, nos asignaron compañeros de cuarto y el mío era una chica llamada Jeannie. Su familia en realidad vivía en una zona elegante de San José, y su madre había sido enfermera. Su madre venía a menudo mientras estábamos en clase y dejaba bizcochos de chocolate caseros en su cama. Mi compañera de cuarto era amable y agradable, pero tenía malos hábitos de estudio. Las reglas de la residencia eran que se suponía que debíamos mantener nuestras habitaciones ordenadas y limpias con nuestras camas hechas; de lo contrario, podríamos recibir deméritos. Las amas de casa hacían cheques sorpresa y dejaban notas/deméritos en nuestra habitación. Debido a que a mi compañera de cuarto no le gustaba hacer su cama y sus cosas estaban tiradas por todo su lado de la habitación, cada una de nosotras recibiría un demérito. Despúes de determinar que ella no iba a cambiar y después de cansarme de los deméritos, pedí tener mi propio cuarto. Me concedieron mi pedido y nunca más recibí otro demérito.

Los hábitos de estudio de mi compañera de cuarto eran un problema para ella. Todas las noches, cuando volvíamos de clase y de la cena, decía que necesitaba hacer una lista de lo que tenía que hacer esa noche antes de poder estudiar. Entonces, ella comenzaba a escribir su lista, pero la interrumpían y nunca la terminaba. En consecuencia, nunca tuvo suficiente tiempo para estudiar. Le fue bien en nuestras rotaciones clínicas, pero suspendió sus exámenes escritos. La pusieron en período de prueba y se esforzó más, pero hacer su lista era muy importante para ella, por lo que continuó con su patrón habitual.

Nuestra primera instructora era amable pero severa, y comenzó su trabajo para convertirnos en enfermeras. Debíamos emparejarnos con una compañera cuando comenzamos a aprender los conceptos básicos de los fundamentos de enfermería. Me uní a mi compañera de cuarto y esperaba trabajar con ella. Comenzamos aprendiendo a tomar los signos vitales (temperatura, presión arterial, pulso y respiraciones). Como nuestra familia no tenía un termómetro en casa, cuando llegó el momento de tomar la temperatura de mi compañera de cuarto, no sabía qué extremo del termómetro debía estar debajo de la lengua. Cuando le pregunté, me miró y dijo: «Estás bromeando, ¿verdad?».

A lo que respondí: «No, nunca he usado uno de estos antes». Si mi madre quería saber si teníamos fiebre, nos pedía que le sopláramos, y nos palpaba la frente para determinar si estábamos enfermos o no. Aunque estaba avergonzada por esta situación, pronto lo superé y pasé los conceptos básicos de tomar los signos vitales de los pacientes con gran éxito.

Traté de ayudar a mi compañera de cuarto a estudiar, e incluso la invité a ir a la biblioteca conmigo para hacer nuestra tarea, pero parecía que nunca encontraba el tiempo. Ella seguía diciendo que necesitaba hacer su lista antes de poder estudiar. Desafortunadamente para ella, reprobó sus exámenes y suspendió la escuela después de su primer año. Se le permitió regresar e intentarlo de nuevo, pero después de fallar por segunda vez, se le pidió que abandonara la escuela y no pudo regresar.

Eventualmente, fue admitida en el programa de enfermería en el colegio comunitario local y se graduó y se convirtió en enfermera licenciada. Su familia fue muy amable y gentil conmigo y me invitaba a su casa a cenar y a eventos especiales. Siempre estuve muy agradecida por su amabilidad.

Muchas de mis compañeras de clase tenían novios, y como vivían cerca, los veían los fines de semana. Mi novio vivía en casa, así que rara vez nos veíamos. Él fue mi primer amor, y lo conocí en mi tercer año de secundaria a través de mi mejor amiga, Ana, quien estaba saliendo con su hermano. Me acompañó a mis bailes de graduación de secundaria y preparatoria, y me enamoré perdidamente de él. En noviembre de 1965, fue reclutado por el ejército y enviado a Fort Ord en el condado de Monterey para su entrenamiento básico, y pudimos reunirnos una vez durante ese tiempo. Pasamos el día juntos antes de que regresara a su puesto militar. Poco tiempo después, fue transferido a Fort Benning en Georgia para capacitarse como operador de radio. Esto fue durante la época de la guerra de Vietnam, que iba a peor, y nos preocupaba que lo enviaran a Vietnam al finalizar su entrenamiento. Sin embargo, Dios lo estaba cuidando y lo enviaron a Alemania para el resto de su período de servicio. Se le permitió una licencia de diez días antes de ser enviado a Alemania, y logramos vernos un par de veces antes de que tuviera que irse. Me pidió que lo esperara y, por supuesto, le dije que sí. Nos prometimos el uno al otro que nos escribiríamos, y lo hicimos de manera regular y esperaba con ansias recibir sus cartas. Le escribía sobre mis experiencias en la escuela de enfermería y él me contaba sobre sus experiencias en el ejército. Lo extrañaba, pero traté de mantener mi mente en mis estudios y estaba entusiasmada con las muchas cosas nuevas que había que aprender.

Estar lejos de casa era difícil. Mis padres solo podían permitirse enviarme diez dólares cada dos semanas cuando mi padre recibía su cheque de pago, ya que tenían facturas que pagar y cinco hijos que alimentar. Tenía que estirar esos diez dólares para comprar mi comida. No era divertido sentirse siempre pobre y no poder comprar los artículos necesarios. Sin embargo, cuando llegué a casa por primera vez, me llevé mi máquina de escribir y pronto me di cuenta de que, dado que tenía la capacidad de escribir rápido y me encantaba hacerlo, podía ganar dinero extra escribiendo documentos para mis compañeros de clase que no sabían escribir a máquina. Así que los viernes y sábados por la noche, mientras ellos tenían una cita o se divertían, me quedaba en mi habitación y mecanografiaba sus trabajos finales, cobrándoles veinticinco centavos por página. Esos eran los días del papel carbón y el blanqueador, por lo que, si se cometía un error, se necesitaba tiempo para corregirlo; no era tan fácil como lo es hoy con un ordenador en el que simplemente puedes retroceder y volver a escribir. Como a mis compañeros de clase no les gustaba escribir a máquina y estaban dispuestos a pagarme por mecanografiar sus trabajos, mis habilidades mecanográficas me estaban ayudando a ganar dinero extra y sobrevivir económicamente. Por lo tanto, al fin y al cabo, mis habilidades de mecanografía aprendidas en la escuela secundaria valieron la pena.

Capítulo 5

Clases en la universidad

Como estudiantes de enfermería, estábamos en el hospital cinco días a la semana. Nuestras clases clínicas se llevaban a cabo en el hospital, que estaba ubicado en el mismo campus que nuestra residencia. Así que todas las mañanas nos levantábamos, nos duchábamos, nos poníamos nuestros uniformes de estudiantes y caminábamos por el campus hacia nuestra rotación clínica. Nuestras clases teóricas, sin embargo, se impartían por las tardes en la Universidad de Santa Clara, a unas dos millas de distancia. Como ninguna de nosotras tenía un automóvil, necesitábamos averiguar sobre nuestro transporte hacia y desde la universidad. Decidimos tomar el autobús hacia y desde la escuela, pero tuvimos que hacer transbordo a otro autobús para llegar al campus universitario. Esto nos causaba problemas, ya que a menudo los autobuses llegaban tarde, perdíamos nuestra conexión y, por lo tanto, llegábamos tarde a clase. Entonces decidimos que necesitábamos cambiar nuestra estrategia y encontramos un taxista que nos llevaría hasta siete de nosotras a la vez en su taxi. Nos estaría esperando en nuestra residencia universitaria para llevarnos a clase y en la universidad cuando termináramos con nuestras lecciones. Dado que todas nosotras solo podíamos pagar veinte centavos por día de ida para el transporte, observábamos el medidor de cerca y tan pronto como marcaba $1,40 y antes de que llegara a $1,50, salíamos del taxi y caminábamos el resto del camino. Algunos días, cuando llovía mucho, sentía lástima por nosotras y simplemente apagaba el medidor y nos llevaba hasta el edificio de nuestra clase; fue muy amable con nosotras. Desafortunadamente, lo sorprendieron llevando demasiados pasajeros y lo despidieron. Todas nos sentimos muy mal porque había perdido su trabajo por nuestra culpa, pero ahora necesitábamos encontrar otro medio de transporte. Por suerte para nosotras, a una de nuestras compañeras de clase le dieron un Buick viejo y grande llamado Big Bertha, y pudo llevarnos a clase. Nos amontonábamos doce de nosotras en el auto, tres en la parte delantera, cinco en el asiento trasero, y otras cuatro sentadas encima de las cinco en el asiento de atrás; un poco incómodo, pero lo hicimos funcionar. Un día, el automóvil se quedó sin gasolina camino a la universidad en medio de una intersección concurrida. Afortunadamente, había una gasolinera en la esquina, así que todas tuvimos que salir del coche y empujarlo hasta la gasolinera. Puedo imaginarme la mirada en las caras de los conductores mientras nos veían salir del auto a las doce. Era como, *¿cuántas personas puedes poner en un Buick?*

Durante nuestro primer año, muchas de nuestras compañeras de clase sintieron nostalgia y abandonaron la escuela. De hecho, solo alrededor de dos tercios de las estudiantes que comenzaron con nuestra clase terminaron el programa y se graduaron. La nostalgia también me afectó, pero sabiendo que no podía decepcionarme ni a mí ni a mi familia, tenía que aguantar y seguir estudiando, ¡fracasar no era una opción! Me encantaba recibir cartas de mi madre y mi novio, y me ayudaron a calmar mi nostalgia. Como mis tías y tíos vivían en San José, a veces me invitaban a visitar su casa los fines de semana y eso ayudaba a aliviar mi nostalgia.

Mi primer año, no pude volver a casa hasta las vacaciones de Acción de Gracias, compré un billete de autobús y fui en un Greyhound a casa. Mis padres me recogieron en la estación de autobuses. De camino a casa, era una noche muy oscura, y mientras mi padre conducía, de repente, había una vaca grande en medio del camino y mi padre no pudo detenerse a tiempo. El auto golpeó a la vaca, la cual salió volando por los aires y cayó junto a nuestro auto. Gracias a Dios que no aterrizó encima de nosotros. Toda la parte delantera del automóvil fue demolida y tuvimos que llamar para que nos llevaran a casa. Estaba tan feliz de ver a mi familia y comer una comida casera. Los días pasaban rápido, y pronto tuve que regresar; mi próxima vez en casa sería durante las vacaciones de Navidad, pero estar en casa y ver a mis hermanos y hermanas durante las vacaciones me dio el impulso necesario para llegar hasta las vacaciones de Navidad.

Nos dieron dos semanas libres por Navidad y volví a casa en autobús. Durante las vacaciones, volvimos a hacer ejercicio en el campo frío atando vides, pero poder estar con mi familia hizo que valiera la pena.

Nuestro primer año del programa de tres años no fue fácil. Tuvimos que acostumbrarnos a la rutina de la escuela de enfermería y aprender los conceptos básicos del cuidado de enfermería. Estuve fuera de casa durante mucho tiempo y fue difícil. Muchas de mis compañeras de clase eran de los alrededores, por lo que tenían a sus amigos y novios para ver los fines de semana; yo tenía mi máquina de escribir. Era especialmente solitario cuando la mayoría de ellas se iban a casa a pasar el fin de semana y la residencia estaba prácticamente vacía. Cuando me invitaban a una de las casas de mis tías o tíos durante el fin de semana, estaba muy agradecida por la invitación.

Los pensamientos de irme se me pasaron por la cabeza en numerosas ocasiones, pero sabía que irme no era la respuesta. Como no tenía mucho dinero extra, ir de compras a los centros comerciales no era una opción, así que, en lugar de caer en la tentación, me quedé en la sala de recreo mirando la televisión. Estaba feliz las tardes de los domingos ya que mis compañeras de clase volvían a la residencia universitaria y entonces todo se animaba de nuevo.

Nuestro primer año, aprendimos los conceptos básicos del cuidado de enfermería, como por ejemplo cómo hacer una cama correctamente con esquinas cuadradas. Para aprobar esta parte de la clase, nuestro instructor de fundamentos necesitaba poder rebotar una moneda de veinticinco centavos en la cama; me tomó algunos intentos antes de poder aprobar esta parte de la clase. También tuvimos que aprender a hacer una cama con un «paciente» en la cama lo cual no fue tarea fácil. Aprendimos cómo tomar los signos vitales de nuestros pacientes y cómo darle un baño en la cama correctamente. Teníamos clases de lunes a viernes, pero los miércoles nos daban medio día libre. A medida que pasaban los meses, mi confianza en mis habilidades creció y estas mejoraron.

Disfruté de mis estudios y tenía un buen conocimiento básico de anatomía y fisiología, ya que mi semestre completo de cada uno en Reedley Junior College me había dado una buena base. Sentí lástima por mis compañeras de clase, ya que la universidad estaba en el sistema de trimestres, y recibieron solo un cuarto de anatomía y fisiología juntos. Por lo tanto, a veces, se perdían al tratar de comprender los conceptos, y me alegraba de poder ayudar. A una compañera de clase en particular le resultó muy difícil comprender algunos de los conceptos, y recuerdo haber pasado muchas horas tratando de ayudarla a comprender la función del cuerpo. De alguna manera se las arreglaba para aprobar sus clases, pero siempre fue muy estresante para ella. También tuvimos que tomar cursos de religión ya que esta era una universidad católica. Tuve problemas con mi clase de Evangelios, y mi padre no estaba contento cuando vio la calificación C para esta clase en mi boleta de calificaciones. Estaba feliz de haber recibido una calificación aprobatoria. Los sacerdotes jesuitas nos enseñaron, y cuando comenzaron a hablar sobre los 4 evangelios, pregunté: «¿Qué cuatro evangelios?». Yo pensaba que solo había uno. Me asombraron con sus enseñanzas y me hicieron pensar en mi religión de una manera diferente a lo poco que había aprendido en el catecismo cuando era más joven.

Me involucré con nuestras organizaciones escolares y disfruté conocer y trabajar con los compañeros de clase superior en la escuela. Tuvimos varios eventos sociales y recaudamos fondos para nuestra clase con ventas de pasteles y cenas. Recuerdo haber hecho una cena para recaudar fondos con enchiladas. Hicimos dinero y nos divertimos con este evento. Nuestra residencia tenía una sala de televisión y juegos que no se usaba con frecuencia, excepto por las noches, cuando teníamos algo de tiempo libre. Muchas de nosotras nos reuníamos en esta sala y compartíamos historias, reíamos y disfrutábamos de la compañía de los demás. Aprendimos unas de otras, y una de mis compañeras de clase me perforó las orejas por primera vez. Simplemente tomó un trozo de hielo, congeló el lóbulo de mi oreja, lo atravesó con una aguja, ¡y ahora tenía las orejas perforadas! Solo había un teléfono en el pasillo para que lo usaran todas las chicas, por lo que estaba ocupado por las noches con todas las llamadas telefónicas personales. Teníamos toque de queda a las diez de la noche durante la semana y hasta más tarde los fines de semana. La ama de casa de turno se aseguró de que llegáramos a tiempo y nos informaba si no lo hacíamos. Muchas veces le abríamos la puerta trasera a una de nuestras compañeras de clase que llegaba tarde a la residencia. Teníamos duchas y baños compartidos en medio del largo pasillo. Nuestros uniformes eran lavados por la lavandería del hospital, pero éramos responsables de lavar nuestra propia ropa personal en las máquinas que estaban disponibles para nuestro uso.

Se nos permitía tener refrigerios en nuestra habitación, pero si no cerrábamos la puerta, los refrigerios a veces se convertían en una delicia para Rocky, el gran perro husky siberiano blanco que pertenecía a las monjas y que a veces se soltaba de su jardín y entraba en la residencia universitaria a buscar comida. No nos gustaba este perro que no tenía problemas para entrar en nuestra residencia y encontrar nuestros bocadillos. Las monjas amaban a su perro, y el resto de nosotras teníamos que aguantarlo y fingir que también nos gustaba. Un día, Rocky se soltó y salió corriendo por la calle. Las monjas se estaban volviendo locas tratando de encontrarlo y traerlo de vuelta; esperábamos que se fuera para siempre, pero, por desgracia, volvió a casa.

Hacia el final de nuestro primer año, mis compañeras de clase y yo fuimos invitadas a una fiesta de fraternidad en San Jose State. Allí conocí a un chico de Wisconsin que estaba en la Fuerza Aérea con base en Almaden en la cima de las colinas del Valle de Santa Clara. Ambos estábamos solos y rápidamente nos llevamos bien y comenzamos a salir. No le conté sobre mi novio en Alemania y no le conté a mi novio sobre el chico nuevo. Pensé que esta relación sería de corta duración y terminaría cuando mi novio regresara a los Estados Unidos.

Nuestro primer año en la escuela de enfermería terminó casi tan rápido como comenzó. Habíamos aprendido lo básico y ahora podíamos trabajar en un hospital como asistentes de enfermería. Estaba eufórica de haber completado con éxito mi primer año de estudios y sabía que, para mí, ir a la escuela de enfermería era la decisión correcta. Volver a casa ese verano, trabajar en la empacadora o en los campos ya no era necesario. En cambio, fui contratada por mi hospital local para trabajar como asistente de enfermería en el turno de noche. Hasta ese momento, no había sido una bebedora de café, pero pronto aprendí a tomar café negro para permanecer despierta durante la noche, especialmente en las noches lentas.

Capítulo 6

Sobreviviendo a mi segundo año en la escuela de enfermería

Septiembre llegó pronto y estaba feliz de regresar a la escuela de enfermería. La primera noche que regresamos, mi amigo de la Fuerza Aérea llamó y me preguntó si podía venir a verme. Trajo a un par de amigos que fueron presentados a un par de mis amigas de la escuela de enfermería. Me sentí bien de verlo, y estaba feliz de estar de vuelta.

Mi padre, al darse cuenta de que el transporte hacia y desde la universidad era un problema, me permitió llevarme un auto viejo que había comprado. Era un viejo Ford Falcon que necesitaba un motor nuevo y echaba humo como una chimenea, pero funcionaba lo suficientemente bien como para ir y venir de la escuela. Pude llevar a algunas de mis compañeras de clase a la universidad y les cobraba cincuenta centavos a la semana por la gasolina. El automóvil incluso logró llegar a San Francisco un fin de semana para divertirnos un poco, pero en el camino de regreso, el acelerador se atascó y tuve que conducir manteniendo presionado el freno la mayor parte del camino de regreso a la autopista. Sin embargo, mis compañeras de clase que estaban conmigo en el coche no se dieron cuenta de la situación. Estaba muy feliz cuando regresamos a nuestra residencia sanas y salvas.

Debido a que nuestro programa era solo un programa de diplomado de tres años, no tuvimos un segundo año, sino que pasamos de ser estudiantes de primer año a estudiantes de tercero. Tuvimos un par de estudiantes nuevos que se unieron a nuestra clase ese año porque habían reprobado su tercer año y ahora se estaban uniendo a nuestra clase. Fueron bienvenidas a y pronto se convirtieron en una de nosotras. Sin embargo, una de ellas hablaba mucho sobre su forma de pensar acerca de las minorías y a menudo me hacía comentarios que me hirieron, y siendo la única minoría en mi clase, me sentía sola. Finalmente, después de escuchar lo suficiente de sus comentarios, mi enojo se apoderó de mí y pude decirle cómo me estaba haciendo sentir y que sería mejor que se detuviera antes de que me hiciera enojar mucho y hacer algo de lo que podría arrepentirme. Su respuesta fue que no me tomaba en cuenta por ser mexicana. Con lo que le respondí nunca más volvió a molestarme. Si bien probablemente todavía hacía comentarios cuando yo no estaba cerca, al menos mis oídos ya no tenían que escuchar sus palabras hirientes. Desde entonces nos hemos hecho buenas amigas, e incluso me pidió disculpas por las cosas hirientes que me había dicho en el pasado.

Extrañaba a mi novio y la separación alimentaba mi soledad. Continué saliendo con el chico de la Fuerza Aérea y ambos comenzamos a tener sentimientos el uno por el otro. Supe que su padre era un ministro metodista y que tenía varios hermanos y hermanas en casa. Me acompañó a varios de nuestros eventos escolares, así como a nuestro baile de Navidad y baile de graduación. Siempre nos divertíamos mucho y disfrutábamos de la compañía del otro. Él y sus amigos de la Fuerza Aérea tenían un apartamento en la ciudad que compartían, y mis amigos y yo a menudo íbamos allí los fines de semana y preparábamos la cena para ellos y simplemente pasábamos el rato juntos.

Nuestras clases se volvieron más desafiantes ese año. Teníamos que tomar clases de microbiología y, desafortunadamente para nosotras, nos ubicaron en la clase con estudiantes de biología. No hace falta decir que a ninguna de nosotras le fue bien en esta clase y nos llamaron a una reunión con la monja directora de la escuela, quien nos informó que no repetirían esa clase al año siguiente. En otras palabras, reúnanse y comiencen a aprobar este curso, o todos seríamos eliminados del programa. Pedimos que nos pusieran en una clase diferente y nuestra petición fue cumplida. Después de recibir tutoría, todas logramos aprobar microbiología.

Nuestras clases clínicas incluían obstetricia y ginecología, que eran muy agradables, y enfermería psiquiátrica, que no me gustaba nada. Nuestro instructor de obstetricia nos permitió elegir una paciente y «seguirla» durante nuestra rotación de quince semanas en este tema. Elegí a una paciente que debía dar a luz alrededor del Día de Acción de Gracias y, de hecho, se puso de parto la noche anterior a ese día. Por lo tanto, tuve que quedarme con ella hasta que dio a luz a su bebé a la mañana siguiente y no pude ir a casa durante las vacaciones hasta que tuvo el bebé. Enamorada de la enfermería obstétrica, mi plan era trabajar en esta área al graduarme.

La enfermería psiquiátrica era otro asunto. Nos enviaron al Hospital Estatal de Agnew para nuestra experiencia clínica. En nuestro primer día allí, tuvimos que seleccionar a un paciente que queríamos seguir solo desde la observación; no podíamos mirar el expediente del paciente hasta después de haber hecho nuestra selección. Imagina mi sorpresa al descubrir que el paciente que había elegido era una enfermera licenciada. Mi pensamiento inmediato fue: ¡Dios mío, eso me va a pasar a mí!

Recibimos calificaciones clínicas y teóricas para este curso. Me fue bien en mi fase clínica. Mi paciente original seleccionado fue transferido a una instalación diferente, por lo que esto me obligó a seleccionar otro paciente. Elegí a un anciano que no permitía que nadie se parara o se sentara cerca de él. Su enfermedad subyacente era el Parkinson, por lo que su mano siempre temblaba. Si intentaba sentarme a su lado, se levantaba y se iba a otro lugar. Si bien mis primeros esfuerzos fueron inicialmente rechazados, poco a poco pude primero pararme y luego sentarme a su lado. Después de un tiempo, finalmente me permitió sentarme a su lado por períodos más largos y sostener su mano temblorosa. Pude hacer pequeños progresos con él cada día. Hacia el final de mi rotación clínica, finalmente me permitió sentarme a su lado y hablarle mientras sostenía su mano temblorosa. Me sentí triste cuando terminó nuestra rotación en el centro psiquiátrico y tuvimos que irnos porque nunca lo volvería a ver.

Uno de los procedimientos que no disfruté en mi rotación clínica de psiquiatría fue tener que ayudar a los médicos a administrar la terapia de descargas eléctricas a algunos de los pacientes. Parecía ser un tipo de tratamiento cruel, y no estaba convencida de que realmente ayudara a los pacientes, pero al ser solo una estudiante, no tenía nada que decir al respecto.

El hospital estaba frío y las puertas se cerraron de golpe. Muchos años después, cuando vi la película *Alguien voló sobre el nido del cuco*, me dio escalofríos porque me recordó mis días de estudiante cuando escuchabas las llaves de las puertas cerradas colgando y las pesadas puertas cerrarse detrás de ti. Aunque me entristeció dejar al anciano con Parkinson, estaba feliz de terminar esa rotación, sabiendo que la enfermería psiquiátrica no sería mi elección.

Mientras me iba muy bien en mi trabajo clínico, mis exámenes escritos fueron muy desafiantes para mí ya que las preguntas eran difíciles de entender. Mi instructor me dijo que, si bien hacía un excelente trabajo en el ámbito clínico, mi comprensión de la parte teórica era un asunto diferente. Dado que aprobar esta clase dependía tanto de las calificaciones clínicas como de las teóricas, mis calificaciones en los exámenes tendrían que mejorar. Con mucha oración y más estudio, logré pasar mi rotación psiquiátrica, pero sabía que, si fallaba el examen de la junta estatal, sería debido a la parte psiquiátrica. En aquellos días, había cinco secciones en el examen de la junta estatal de enfermería: médica, quirúrgica, obstétrica, pediátrica y psiquiátrica, y cada una de ellas se calificaba individualmente. Para aprobar el examen, debía aprobar las cinco secciones antes de poder obtener una licencia como enfermera. Afortunadamente, logré aprobar mi junta estatal con gran éxito, pero recibí mi puntuación más baja en la parte psiquiátrica.

En la primavera de mi tercer año, comencé a tener dolores abdominales de origen desconocido. Terminé en la sala de emergencias en tres ocasiones distintas y, finalmente, después de mi tercera visita, me remitieron a un médico obstetra/ginecólogo. Me ingresó en el hospital y después de hacerme algunas pruebas me dijo que tendría que hacerme una laparoscopia exploratoria para saber qué estaba causando mi dolor. En los años 60, no había ultrasonidos o tomografías computarizadas disponibles para identificar el problema como lo hay hoy en día. La cirugía era la única opción. Mi madre vino a estar conmigo, y cuando la monja directora del programa de enfermería se enteró de que tendría que operarme, me informó que, si faltaba a la escuela por más de dos semanas, tendría que repetir todo el tercer año. Ahora bien, sabía que mis padres estaban luchando para pagar mi matrícula, por lo que pedirles que pagaran mi tercer año nuevamente no era aceptable para mí. Entonces, cuando la enfermera entró en mi habitación para que mi madre firmara el consentimiento quirúrgico, le dije que saliera de mi habitación y que no iba a operarme. Por supuesto, inmediatamente llamó a mi médico, quien me llamó y me dijo que necesitaba la cirugía para averiguar qué estaba causando mi dolor. Le informé de lo que me había dicho el director y me prometió que usaría suturas especiales para que volviera a la escuela lo antes posible. De mala gana, decidí seguir adelante con la cirugía.

Mi médico descubrió que mi dolor estaba causado por un quiste dermoide que se había envuelto alrededor de mi ovario derecho y mi trompa de Falopio, por lo que tuvieron que extirpar ambos. La monja directora, que era enfermera licenciada, en realidad se presentó para la cirugía. Creo que ella creía que yo tenía un embarazo ectópico y quería verlo con sus propios ojos. Fui paciente en el hospital durante una semana. A la semana siguiente, presioné a mi médico para que me diera permiso para volver a clases y, a la semana siguiente, estaba de regreso en el hospital atendiendo pacientes después de haber tenido una cirugía abdominal mayor. Vivía en el segundo piso de la residencia universitaria y solo tenía escaleras, no tenía ascensor, así que todos los días tenía que subir y bajar escaleras mientras me agarraba el abdomen para ayudar a calmar mi dolor. Estaba decidida a que no me echaran de la escuela y obtuve mis calificaciones más altas ese trimestre. Incluso mi médico se sorprendió con mi rápida recuperación. Estoy segura de que probablemente me lastimé el cuerpo al regresar al área clínica tan pronto, pero en ese momento de mi vida, nada era más importante que graduarme a tiempo y con mis compañeras.

Mi nuevo novio estaba muy preocupado por mí y no dejaba de llamarme para ver si estaba despierta el día de mi cirugía. Cuando bajó de la colina esa noche para visitarme en el hospital, mi madre estaba junto a mi cama y tuve que presentarlos. Lo primero que me preguntó después de que él se marchara, fue qué le había pasado a mi otro novio, a quien ella conocía y le gustaba. Le preocupaba que yo estuviera saliendo con dos hombres diferentes a la vez.

Mi mejor amiga en la escuela de enfermería sabía acerca de mi novio en Alemania y le contó a su novio que también estaba en la Fuerza Aérea y era amigo del chico nuevo con el que yo estaba saliendo. Mi nuevo novio debió haberle dicho que se estaba enamorando de mí, por lo que su amigo procedió a decirle que yo tenía un novio en el ejército y que estaba basado en Alemania. Al día siguiente, cuando vino a visitarme, inmediatamente me dijo: «Háblame del tipo en Alemania», y tuve que decirle la verdad. Se molestó y no me llamó por un tiempo después de eso. Me dijeron que había comenzado a salir con otra chica y supuse que nuestra relación había terminado, así que me sorprendió mucho cuando me llamó unos dos meses después. Me dijo que le había dicho a la otra chica que todo había terminado entre ellos. Cuando le pregunté por qué, me dijo que quería seguir viéndome solo a mí, así que restablecimos nuestra relación. Me pidió que fuera a Wisconsin con él, pero yo sabía que eso nunca podría suceder. Aunque él me importaba, no estaba convencida de que lo amaba.

Regresé a casa ese verano y me volvieron a contratar para trabajar como asistente de enfermería en mi hospital local, esta vez en el turno de la tarde. Trabajé tanto como pude, ahorrando todo mi dinero para mi último año en la escuela de enfermería. Mi nuevo novio continuó manteniéndose en contacto llamándome a casa y escribiéndome. Me mantuve ocupada con el trabajo y mi padre, que era muy exigente, siguió tratando de dirigir mi vida y tomar decisiones por mí a pesar de que ya tenía veinte años. En un momento, enfurecí a mi padre ese verano, así que cuando llegó el momento de regresar a la escuela de enfermería, me dijo que no pagaría mi matrícula. Estaba decepcionada, triste y llena de cicatrices y me preguntaba cómo me las arreglaría para pagar el último año de la escuela de enfermería. Estaba tan cerca de alcanzar mi sueño que no podía dejar que nada me detuviera ahora, pero sabía que no había ganado suficiente dinero ese verano para cubrir mi matrícula. Gracias a Dios por mi hermana, Esther, que era tres años menor que yo. Había sido aceptada en la Universidad del Pacífico y su matrícula se pagaba a través de becas y subvenciones. Ella había trabajado en tres trabajos diferentes ese verano y me dio todo el dinero que había ahorrado para que pudiera terminar mi programa de enfermería. Siempre estuve agradecida con ella, y traté de ayudarla una vez que conseguí un trabajo como enfermera licenciada. Hasta el día de hoy, no he olvidado su generosidad. Mi padre a menudo se preguntaba cómo había logrado pagar mis estudios del último año, y nunca se lo dijimos. Creo que se sintió culpable por no ayudarme mi último año, pero como siempre me decía mi madre, donde hay voluntad hay un camino. Tenía mucha razón.

En septiembre, regresé para cursar mi último año. La primera noche que regresé, mi nuevo novio vino a verme a la residencia. Fue bueno verlo y empezamos a salir de nuevo. Mi novio en Alemania debía ser dado de alta en octubre, y le informé a mi nuevo novio de su próxima alta. Básicamente, rompí con él y, poco después, pidió que lo transfirieran de regreso a Wisconsin para completar su período de servicio y regresó a casa. Me pidió que me mudara allí con él por tercera vez, pero yo no podía imaginarme mudándome a Wisconsin, así que terminamos la relación. Mi novio regresó del ejército como estaba previsto y esperé a que me llamara, pero nunca lo hizo. Finalmente lo llamé yo, y cuando contestó le pregunté por qué no me había llamado. Realmente no pudo responder a la pregunta más que decir que necesitaba algo de tiempo para acostumbrarse a estar en casa antes de ponerse en contacto conmigo. Me decepcionó su respuesta, pero traté de entender sus sentimientos. Hicimos planes para que yo volviera a casa el siguiente fin de semana y tuvimos nuestra primera cita desde su regreso a casa. Nuestra relación parecía tensa y lo atribuí a que habíamos estado separados durante casi dos años. Sentí que una vez que empezáramos a salir de nuevo, las cosas entre nosotros volverían a la normalidad, pero esto no sucedió.

Capítulo 7

Superando mi último año de la escuela de enfermería

Nuestro último año definitivamente nos ayudó a prepararnos para nuestra futura carrera. Asumimos tareas más difíciles y éramos responsables de un mayor número de pacientes. Tuvimos que desarrollar planes de atención para nuestros pacientes y demostrar que podíamos atender sus necesidades. Ese año incluyó nuestra experiencia pediátrica. Yo había temido a la pediatría desde que ingresé a la escuela de enfermería y estaba muerta de miedo en mi primer día de clínica. Mi primera asignación fue una niña de seis años a la que le acababan de diagnosticar diabetes tipo 1. Tuve que enseñarle cómo administrarse su propia insulina, algo que no es fácil de hacer cuando solo tienes seis años. Después de pensarlo mucho, decidí convertirlo en un juego. Le hice una gorra de enfermera con papel y usé una naranja para enseñarle cómo poner las inyecciones. Aprendió rápidamente y, cuando salió del hospital, se inyectaba sola con un poco de ayuda. Me sentí muy feliz cuando se completó nuestra rotación pediátrica.

Enfermería Médico-Quirúrgica II fue nuestra última asignatura y aprendimos a cuidar a pacientes más complejos. Uno de mis pacientes más desafiantes era un joven de dieciocho años que se había quemado. Era un trabajador agrícola de Los Baños que estaba trabajando con unos «amigos» y viajaba en la parte trasera de una camioneta camino a otro trabajo. La camioneta había estado transportando gasolina en contenedores de cinco galones y parte de la gasolina se había derramado sobre la alfombra. Sus «amigos» decidieron que sería divertido encender un fósforo y tirarlo sobre la alfombra mojada con gasolina. El gas derramado encendió y quemó al joven en más de un treinta por ciento de su cuerpo, y fue ingresado en el piso médico/quirúrgico ya que el hospital no tenía una unidad de quemados. El joven y sus amigos tenían antecedentes de abuso de drogas. Había estado en el hospital durante dos semanas y me asignaron a su cuidado. Necesitaba proteínas, pero se negaba a comer la dieta rica en proteínas que se le proporcionaba. Después de hablar con él sobre lo que le gustaba, me dijo que lo único que realmente le gustaba eran las malteadas, así que hablé con la dietista y le pedí que agregara huevos a sus malteadas diarias para aportarle más proteína. Nos aseguramos de que tuviera todos los batidos que quería y sus niveles de proteína comenzaron a aumentar y su curación comenzó a mejorar. Ganó confianza en mí y compartió muchas historias sobre su vida. Un día me dijo que había decidido dejar de usar drogas porque se dio cuenta del daño que le estaban haciendo a su cuerpo. Esa fue una gran noticia, así que rápidamente salí a buscar a mi instructora y le informé. Su sabiduría y experiencia surgieron cuando me preguntó si tenía visitas recientes. Le dije que un par de sus amigos acababan de visitarlo, momento en el que ella me informó que probablemente era para darle una dosis y que por eso estaba hablando de esa manera sobre dejar de drogarse. Su experiencia y sabiduría me enseñaron una valiosa lección ese día sobre cómo usar el pensamiento crítico en enfermería. Después de interrogarlo, me admitió que acababa de tener una dosis que le habían traído sus visitantes. Mi instructora fue muy sabia. También fue sabia cuando nos dijo que nunca nos casáramos con un médico.

Todos los viernes por la mañana, teníamos que reunirnos con nuestra instructora principal, y ella nos hacía ejercicios sobre nuestros pacientes para medir nuestra comprensión de la atención de enfermería que estábamos brindando. Varias de mis compañeras de clase estaban tan nerviosas por reunirse con ella y ser interrogadas que literalmente se enfermaron. Siempre me las arreglé para responder a sus preguntas correctamente, por lo que realmente no me molestó. Sin embargo, una vez me hizo una pregunta que no pude responder, y en ese momento dijo: «¡Ajá! Finalmente te tengo», y sonrió. No hace falta decir que nunca olvidé la pregunta o la lección que me enseñó ese día sobre aprender absolutamente todo sobre mis pacientes.

Debido a que nuestro último año estuvo muy ocupado, las visitas a casa para ver a mi novio eran pocas y esporádicas. La última vez que fuimos a una cita a un autocine, sentí que algo andaba mal, pero no quería tratar el tema. En abril, mis sospechas se hicieron realidad cuando me escribió una carta diciéndome que había conocido a otra persona y que estaba rompiendo conmigo. La noticia fue devastadora y me hizo llorar a mares. Yo había roto con el chico de Wisconsin porque regresaba a casa del servicio, y ahora me decía que ya no estaba interesado en continuar nuestra relación. Me encerré en mi habitación durante dos días y mis compañeras de clase estaban preocupadas por mí, haciendo todo lo posible para convencerme de que saliera. Finalmente, después de romper todas las fotos de los dos, recuperé el sentido. Diciéndome a mí misma que podía y no permitiría que un tipo me impidiera completar mi último año y terminar mi programa de enfermería, mi vida continuó sin él. Salí con otros chicos y los invité a eventos para olvidar a mi antiguo novio.

Nuestro último año finalmente había terminado y el momento de la graduación estaba a punto de llegar. La mañana de nuestra graduación, mis compañeros y yo fuimos a la cafetería del hospital a desayunar como solíamos hacerlo. En el camino de regreso a nuestra residencia, pasábamos por la capilla y les pedí que regresaran a la residencia sin mí porque quería pasar por la capilla y dar las gracias. Recuerdo arrodillarme y dar gracias a Dios por permitirme alcanzar mi sueño de convertirme en enfermera titulada y pedirle que me ayudara a aprobar el examen de la junta estatal. Mi oración de agradecimiento incluía decirle que no sabía adónde me llevaría, pero que con mucho gusto iría adonde Él me guiaría. Habiendo dado gracias, salí feliz de la capilla y me fui a mi habitación a prepararme para la graduación.

Capítulo 8

Por fin, la graduación

Nuestra graduación se llevó a cabo en Mission Santa Clara con sus hermosas pinturas, arte en las ventanas y jardines. Nuestras familias estaban allí cuando dieciocho de nosotras recibimos nuestros diplomas. Cada año, una graduada recibía el premio de honor máximo en la graduación. Era un regalo de $50. Ese año, tuve la suerte de recibir ese premio no solo por mis calificaciones, sino también por mi determinación de no permitir que nada me impidiera graduarme a tiempo. Mis padres y mi familia estaban muy orgullosos de mí por ser la primera en nuestra familia en asistir a la universidad y graduarse. Estaba tan feliz y orgullosa de recibir este reconocimiento y usé el dinero para ayudar a financiar mi viaje para mi trabajo voluntario en México ese verano después de tomar la junta estatal. Mi deseo de ir y ser voluntaria en México comenzó el verano entre mi penúltimo y último año, pero requirió el permiso de mis padres ya que no tenía veintiún años todavía. Mis padres se habían negado a firmar el permiso y, por lo tanto, no hubo viaje a México ese verano. Pero ahora, habiendo cumplido veintiún años y ya no necesitando su firma, hice planes para viajar a México ese verano y ser voluntaria con un grupo del Área de la Bahía conocido como Amigos Anónimos, un grupo similar al Cuerpo de Paz.

Después de la graduación, mis padres me dieron una gran fiesta invitando a todos mis familiares y compañeras de clase a este evento. Mis padres estaban muy orgullosos de mí y felices de que su primera hija se hubiera graduado de la universidad. Me quedé en la residencia durante una semana después de la graduación para estudiar para mis juntas estatales y, después de unos días, decidí que el tiempo para estudiar había terminado. Si no lo sabía a esas alturas, ya era demasiado tarde. Mis compañeras de clase y yo viajamos a San Francisco para tomar el examen de la junta estatal. Fue un evento de dos días y tomamos un total de cinco pruebas diferentes que fueron cronometradas. La prueba se realizó bajo estricta supervisión. Si necesitábamos usar el baño, teníamos que levantar la mano y pedir permiso ya que solo podía ir una persona a la vez. Todos estábamos exhaustos después de tomar nuestro examen estatal, pero nos alegramos de que hubiera terminado. Ahora había que esperar hasta que nos notificaran los resultados, lo que llevaría unas seis semanas.

Mi objetivo original después de graduarme era unirme a las fuerzas armadas, ya fuese la Armada o la Fuerza Aérea y ser enfermera. Los reclutadores me informaron que se podía adquirir una enorme cantidad de experiencia y que las enfermeras de las fuerzas armadas tenían una gran oportunidad de viajar por el mundo. Sin embargo, mis padres estaban muy en contra de esta decisión y dijeron que ninguna hija de ellos se uniría al servicio. En su opinión, las «chicas buenas» simplemente no hacían eso. Pensando que probablemente sabían más y no queriendo causar una discusión, descarté la idea y nunca más seguí con esto. Cuando hablé con colegas enfermeras que se habían incorporado al servicio y escuché sus historias, lamenté mi decisión de no alistarme. Hasta el día de hoy, este es uno de los únicos arrepentimientos de mi carrera como enfermera.

Mi padre estaba molesto conmigo por no empezar a trabajar de inmediato. Pero como necesitaba un descanso de mis estudios, viajé a San Diego para unirme a dos de mis compañeras de clase que también iban a México como voluntarias. Así que fui a México viajando en un autobús durante casi tres días para llegar a Morelia, Michoacán, para unirse a un grupo de universitarios de todo el país. Todavía en duelo por la pérdida de mi novio y sin querer regresar a casa por temor a encontrarme con él, la decisión de irme a México durante el verano fue fácil de tomar.

Al llegar a mi destino, me recibió un coordinador que me presentó a la familia con la que viviría ese verano. Había dos niños pequeños que se ofrecieron para ayudarme con mi equipaje a cambio de una propina. Sin embargo, al no conocer aún el valor de cambio del dinero estadounidense, la propina que en realidad recibieron fue solo una pequeña muestra. Cuando me lo señalaron más tarde, fue vergonzoso ya que la propina resultó ser de unos cincuenta centavos en lugar de cinco dólares. Así es la vida. La familia que me acogió tenía un hijo que era sacerdote y cinco hijas. Me dieron mi propia habitación y disfrutaba vivir en una casa con un patio en el medio de la casa. Conociendo y entendiendo el idioma, era fácil conversar con ellos, pero a veces mi jerga me causaba algunos problemas. Como ejemplo, en mi primera cena con la familia me preguntaron si quería más comida y mi respuesta fue «No, estoy llena», que en Estados Unidos significa que no me cabe nada más, pero en México significaba que estaba embarazada. Todos me miraron con cara de interrogación y al darse cuenta de lo dicho, traté de explicarles y asegurarles que la persona que acababan de recibir no estaba embarazada.

El padre de familia nunca estuvo cerca, y cuando le pregunté a las hijas sobre su paradero, nunca me respondieron. Sin embargo, todos los domingos la familia me enviaba a pasar el día con otra familia, y ellos se iban todo el día y volvían por la noche. Más tarde supe que el padre estaba en prisión porque era dueño de una tienda de comestibles y alguien le había vendido un alcohol malo que él había vendido a los clientes sin saber que el alcohol era malo, y un par de personas habían muerto. Así que todos los domingos, la familia iba a visitarlo a la prisión local, y estaban demasiado avergonzados de decírmelo.

En un fin de semana largo, cuatro de nosotras tomamos el tren a la Ciudad de México, y allí nos encontramos con su hijo, el cura, quien finalmente me habló de su padre. Mi corazón estaba con ellos y, desafortunadamente, él era un extraño para mí; nunca nos conocimos.

Trabajar con las enfermeras de salud pública, visitar a la gente en las aldeas pobres y dar clases de salud a las madres sobre el cuidado de la salud llenaron mis días. Era un país hermoso, y la gente era muy amable y cariñosa. Pensamientos de quedarme en México se me pasaron por la cabeza, y si no me hubiera comprometido a compartir un departamento con mi antigua compañera de cuarto y comenzar el nuevo trabajo que me esperaba en San José en septiembre, probablemente me hubiera quedado en México. Mi madre había recibido los resultados de mi prueba de la junta estatal en casa y me los envió por correo a México. Pura euforia y felicidad llenaron mi cuerpo cuando abrí el sobre leyendo la primera línea que decía que había aprobado la junta estatal. Sin embargo, como se predijo, la enfermería psiquiátrica obtuvo la puntuación más baja de los resultados de mi prueba. Pero, en resumidas cuentas, había aprobado y estaba muy feliz. Mi sueño se había realizado. Me puse en contacto con mis amigos y varios de nosotros fuimos a un bar a plena luz del sol para tomar una copa y celebrar mi éxito. Si bien no es algo común, éramos cuatro chicas estadounidenses sentadas en un bar en medio de la tarde en México, celebrando mi logro.

Aproximadamente tres semanas antes de regresar a casa, contraje neumonía y tuve que tomar antibióticos. Hasta ese momento había estado saludable, no había comido de los vendedores ambulantes para no enfermarme. Pero trabajar muchas horas bajo la lluvia, caminar por charcos de lodo y trabajar con la gente pobre de las aldeas había desgastado mi resistencia. Pude ver a un médico que me examinó y me recetó Penicilina G, un antibiótico blanco y espeso que se inyecta. Como los médicos en México no tienen enfermeras trabajando en su consultorio para poner las inyecciones, los pacientes tenían que pagarles a personas en la calle que habían aprendido a poner inyecciones para realizar la función. Como a las enfermeras se les enseña a aplicar inyecciones, decidí aplicarme mis propias inyecciones en los muslos. En esos días, México aún no contaba con agujas y jeringas desechables, por lo que después de comprar una jeringa y una aguja de vidrio, era necesario hervir la aguja después de cada inyección para esterilizarla. Cada vez que esterilizaba la aguja, se volvía más y más desafilada, lo que hacía que la inyección fuera cada vez más dolorosa. La tos continuó después de regresar a casa y, en consecuencia, se continuaron los antibióticos orales.

Cuando regresé a casa, mi tío estaba recogiendo sus uvas, y mi padre me despertó temprano ese sábado por la mañana y me dijo: «Vamos a ayudar a tu tío a recoger las uvas».

A regañadientes, me vestí y fui a hacer lo que me pedía. Todo el polvo y la suciedad del campo exacerbaron mi tos, y tosí aún más que antes. Cuando llegamos a casa al mediodía para almorzar, tomé una decisión que cambió mi vida. Diciéndome a mí misma que ahora era enfermera y que ya no tenía que trabajar en los campos, mi decisión fue que no volvería a recoger uvas. Informar a mi padre de mi decisión no fue fácil, y aunque no estaba contento, nunca más me obligó a salir al campo a trabajar. Agradecí eso y nunca más salí al campo a recoger uvas para ganar dinero. ¡Mi trabajo de campo finalmente había terminado!

Capítulo 9

Empezando una carrera

A principios de septiembre, regresé a San José y me mudé a un departamento con mi compañera de cuarto para comenzar mi trabajo como nueva enfermera en el Hospital de San José. Esperar hasta que todas mis compañeras de clase hubieran decidido dónde iban a trabajar antes de decidir dónde trabajar yo era mi forma de tratar de aislarme de ellas. Comenzar mi nueva carrera fue aterrador y no quería que ninguna de ellos supiera si había cometido un error. Pensé que, si ninguna de ellos trabajaba en el mismo hospital, entonces no sabrían del error si cometía uno. Sin embargo, aunque ninguna de mis compañeras de clase trabajaba en el Hospital San José, mi instructora de fundamentos de la escuela de enfermería tenía estudiantes en este hospital y la veía a menudo. Mi solicitud para el Hospital San José pedía un puesto en la unidad de obstetricia, pero como no había vacantes, me ofrecieron un puesto en una unidad médica que trabajaba en el turno de la noche. Acepté el puesto y pensé que en el futuro surgiría la oportunidad de transferirme a la unidad de obstetricia. Habiendo logrado mi trabajo, así como mi apartamento, decidí comprar mi primer auto nuevo, el auto de mis sueños, un Pontiac Firebird azul de 1969. Me costó $3500, y cuando mis padres se enteraron de mi decisión, pensaron que no podría pagarlo. Mi padre tuvo que avalarme para que yo obtuviera el préstamo de mi auto y, después de mucho rogar, finalmente sí avaló el préstamo que me permitió comprar mi auto nuevo. Mis pagos eran de solo $86 por mes y como mi salario sería de $500 por mes, estaba dentro de mi presupuesto. Recibir mi primer cheque de pago como enfermera licenciada fue muy emocionante, pero luego me di cuenta de lo rápido que gastaba mi dinero al tener que pagar el alquiler, el automóvil, los servicios públicos, la comida, etc. Pero estaba feliz y amaba el trabajo, mi automóvil, y haciendo buen dinero sobre una base regular.

Mi función era la de enfermera novata (principiante) y, a menudo, deseaba tener al menos seis meses a un año de experiencia en mi haber; eso me hubiera hecho sentir mucho mejor. Me advirtieron sobre los médicos a los que les gustaba refrescarse con las nuevas enfermeras, por lo que estaba en guardia y, a menudo, hacía todo lo posible para evitar pasar junto a ellos. Después de ser orientada en el turno de día, me trasladaron al turno de la tarde y empecé a trabajar bajo la supervisión de la enfermera jefe asistente. Desafortunadamente para mí, ella estaba embarazada y después de dos meses de trabajar con ella, se fue de baja maternal. Su reemplazo fue una enfermera filipina que nunca antes había trabajado en un hospital estadounidense; hablemos de los ciegos que guían a los ciegos. Al tener un poco más de experiencia que ella, tuve que tomar la delantera, y fue aprendiendo por la escuela de los golpes duros. Había mucho que aprender, pero sentí que nuestra escuela de enfermería nos había preparado bien para desempeñar las funciones de una enfermera.

Una de las enfermeras del turno de noche que trabajaba a tiempo parcial y había sido enfermera durante muchos años fue muy útil; sin embargo, ella tenía sus límites. Una de nuestras pacientes tenía una orden para tomar una copa de vino por la noche antes de acostarse, algo que estaba acostumbrada a tener en su casa. Esta enfermera se negó rotundamente a darle la copa de vino y afirmó que no fue a la escuela de enfermería para ser camarera de bar. Así que yo le daba a la paciente su copa de vino y ella estaba muy feliz. Otro recuerdo de mi primer año fue tener mi primer código azul. Entré en la habitación y descubrí que mi paciente no respondía. Al darme cuenta de que tenía que llamar a un código azul, logré hacerlo, y eso fue todo. Otras enfermeras y el personal entraron corriendo a la habitación y comenzaron a hacer RCP mientras yo estaba parada allí congelada. No podía moverme, pero era consciente de lo que sucedía a mi alrededor. Desafortunadamente, a pesar de la asistencia brindada a la paciente, esta no sobrevivió. Aprendí de esta experiencia y, en el futuro, no tuve problemas para funcionar durante un código azul.

Una noche, alrededor de las diez, recibimos la visita del supervisor, quien nos dijo que el hospital había recibido una amenaza de bomba que estaba escondida en algún lugar del hospital y que iba a explotar esa noche. Nos pidió que registráramos las habitaciones de nuestros pacientes en busca de algo fuera de lo común. Como nuestros pacientes ya habían sido acostados y estaban durmiendo, tomé mi pequeña linterna y busqué en el suelo alrededor de las camas y mesitas de noche tratando de no despertar a mis pacientes. Una de mis pacientes tenía una caja de dos libras de caramelos See's en su mesita de noche, y mientras buscaba la bomba junto a su cama y mesita de noche, se despertó, se sentó en su cama y dijo: «Si quieres un caramelo, ¡todo lo que tenías que hacer era pedirlo!». Solo sonreí y salí de su habitación; no podía decirle lo que estaba ocurriendo, ya que esto la habría alterado y asustado.

El sindicato de enfermeras estaba empezando a organizar a las enfermeras cuando comencé a trabajar en este hospital y no me gustaban sus tácticas. Estaban presionando mucho a las enfermeras para que se unieran al sindicato. Me quitaron el gorro de enfermería, me colocaron un brazalete negro en el brazo, me ordenaron que no frecuentara la cafetería del hospital y me presionaron para que me uniera al sindicato. No estaba contenta con esta situación y pensé en irme, pero disfrutaba de mi trabajo y de las personas que trabajaban en la unidad; sin embargo, las tácticas sindicales me imposibilitaron quedarme.

A principios de diciembre, mi hermana Esther me llamó y me dijo que mi antiguo novio la había contactado y quería mi número de teléfono. Me llamó para preguntarme si podía darle mi número. Me sorprendió escuchar esto y le di permiso para dárselo. Me llamó y me informó que había roto con la chica con la que había estado saliendo y se dio cuenta de cuánto me extrañaba y quería que volviéramos a estar juntos. Aunque feliz de saber de él, no estaba segura de volver a estar con él. Como se acercaban las vacaciones de Navidad y yo estaba planeando ir a casa, acordamos reunirnos y hablar más. Le dije cuánto me había lastimado, se disculpó y me dijo lo mal que se sentía, pero quería que volviéramos a intentarlo. Nos vimos el día de Navidad y la pasamos bien, y accedió a venir a San José a pasar la Nochevieja conmigo. Yo estaba programada para trabajar esa noche, así que llamé diciendo que estaba enferma y fuimos a la playa por la noche. Aunque me sentía culpable por mentir, sentí que pasar la noche con él era más importante. Volviendo a casa de nuevo la tercera semana de enero, salimos en una cita y me pidió que me casara con él y yo, por supuesto, dije que sí.

A mi padre nunca le gusto mi novio y ahora mi prometido. A mi madre le gustaba mucho. Mi padre quería que me casara con un médico o alguien que trabajara en un hospital en lugar de mi prometido que era barbero. Realmente nunca tenía mucho que decirle cuando venía a buscarme para salir en una cita y no estaba feliz de que nos casáramos. Incluso le dijo que se fuera una vez que había venido a verme, y yo le dije que, si lo obligaba a irse, me iría con él. Le permitió quedarse.

Capítulo 10

Volviendo a casa

Después de trabajar en el Hospital San José durante seis meses y comprometerme con mi novio, decidí regresar a mi ciudad natal y comenzar a planificar nuestra boda. Nuestro plan era que yo consiguiera un apartamento en Fresno cerca del hospital, pero mi madre se opuso y me dijo que todas las chicas buenas vivían en casa hasta que se casaban y que un apartamento estaba fuera de discusión. De mala gana, volví a casa durante seis meses, pensando que esto era un error, pero no quería decepcionar a mi madre. Más tarde, mi pensamiento resultó ser correcto.

Antes de regresar, solicité un trabajo en el hospital comunitario, me entrevisté con la gerente de turno el fin de semana y me contrató para trabajar en el turno de la noche. Después de finalmente mudarme de regreso a casa en marzo, me reuní con el gerente de Recursos Humanos, quien me miró e inmediatamente me dijo: «No sé si podemos contratarte; tienes sobrepeso».

Pensé para mis adentros, *Bueno, siempre puedo volver a mi hospital anterior si es necesario*, pero ella me informó que me llevaría a conocer a la gerente y dejaría que ella decidiera si me contrataría. Me contrató en el acto. Porque ¿quién más pediría trabajar en el turno de la noche? Después de ser contratada oficialmente por la gerente de planta, el gerente de recursos humanos me dijo: «Bueno, tienes seis meses para perder peso; si no adelgazas, te vas de aquí».

Me dije a mí misma, *lo que sea*. Hoy en día, esto se consideraría discriminación, pero nuevamente esto fue en la década de 1960 y se permitían comentarios como este y no se podía hacer nada; los tiempos ciertamente han cambiado para mejor.

Mi empleo con Fresno Community Hospital comenzó en marzo de 1969. Empecé en el turno de día y fui orientada por una enfermera muy profesional y amable. Se aseguró de que yo tuviera la oportunidad de aprender los procesos de planta antes de programar mi orientación en el turno de la tarde. A diferencia de la muy agradable enfermera del turno de día, las enfermeras del turno de noche no eran tan acogedoras. Mi primer día de trabajo en el turno de la tarde me abrió los ojos en cuanto a cómo sería mi experiencia. Al entrar a la sala de informes, la enfermera alemana con la que tenía programada la orientación me dijo que, dado que la otra enfermera aún no estaba allí, necesitaba tomar un informe sobre el otro equipo. Aunque le expliqué que mi función allí era orientar al turno de la noche, insistió en que tenía que informar sobre el otro equipo. Finalmente, la otra enfermera entró en la sala de informes, así que regresé con la enfermera con la que estaba programada para orientar, solo para que me dijeran que no le gustaba orientar a las nuevas enfermeras y me envió de regreso con la otra. Al preguntarle a la otra enfermera si podía orientarme con ella, rápidamente respondió: «No, estás programada para orientarte con la otra enfermera. Ahora ve y oriéntate con ella». Me sorprendió su actitud y sus respuestas y decidí orientarme lo mejor posible. No fue una muy buena bienvenida.

La planta médica tenía dos lados hacia la estación de enfermería, y cada una de las dos enfermeras tenía su propio lado. Por lo tanto, la nueva enfermera tendría que cambiar de lado cada vez que una de las otras dos tuviera un día libre. Entonces, aunque podría haber estado cuidando a los pacientes durante los últimos tres días y conocía sus necesidades, cuando la enfermera regresara, tendría que pasar al otro lado, conocer a todos los pacientes nuevos y comenzar a cuidar de ellos hasta que la otra enfermera volviera de sus días libres y luego tendría que volver al otro lado nuevamente. Tanta cosa para la continuidad de la atención. Además, al final del corto pasillo estaba la unidad de cuidados intensivos cardíacos. Dado que esa unidad solo tenía una enfermera licenciada y una enfermera vocacional con licencia de turno, una de nosotras tenía que relevar a la enfermera licenciada para la cena cada noche. Al ser la nueva, por lo general yo era la que era enviada de regreso para relevar a la enfermera licenciada para la cena. Conociendo muy poco sobre los ritmos cardíacos, literalmente caminaba alrededor de la unidad continuamente durante los treinta minutos que la enfermera licenciada de la unidad estaba cenando, asegurándome de que cada paciente todavía respirara y rezando para que ninguno de ellos desarrollara un ritmo irregular y que ningún médico entrase en la unidad y empezase a hacer preguntas sobre los pacientes. Me sentí muy aliviada cuando la enfermera licenciada finalmente regresó de su descanso y estaba muy feliz de volver a mi unidad.

Me encantaba mi trabajo y trabajar con el personal. Mi tiempo como auxiliar de enfermería en el Hospital Reedley me enseñó la importancia de trabajar en equipo. En Reedley, trabajé con una enfermera en el turno de la tarde que se había graduado de la Universidad de Stanford. Siempre se sentaba en el escritorio a leer el periódico mientras mi compañera y yo corríamos como pollos decapitados cuidando pacientes, contestando las luces de llamada, brindando atención nocturna y asegurándonos de que los pacientes estaban listos para dormir. Nunca se ofreció a ayudarnos con nuestro trabajo. Fue en ese momento que me prometí a mí misma que no sería como ella y que ayudaría a las auxiliares de enfermería siempre que el tiempo lo permitiera. Mantuve mi promesa durante el tiempo que trabajé como enfermera, a menudo ayudando a los asistentes de enfermería a hacer las camas y contestar las luces de llamada de los pacientes. Además, cada vez que estaba ocupada, se acercaban para ayudarme en todo lo que podían. Trabajamos en equipo, y también aprendí de ellas. Una vez, estaba cuidando a un hombre filipino que murió y en el proceso de preparación de su cuerpo para ser recogido por la funeraria, aprendí una lección sobre diversidad cultural. Era pleno invierno y hacía frío afuera. Al salir de la habitación para recoger algunos suministros, al regresar, noté que la ventana estaba abierta, así que procedí a cerrarla. Luego me llamaron para hablar con un médico por teléfono, y cuando regresé a la habitación, la ventana estaba abierta nuevamente y al proceder a cerrarla otra vez, la asistente de enfermería filipina que estaba trabajando conmigo me informó que, en su cultura, creían que cuando una persona moría, tenía que abrir la ventana para permitir que el espíritu saliera del cuerpo. En consecuencia, la ventana quedó abierta después de la explicación.

Durante este mismo tiempo, los planes para mi próxima boda estaban en marcha. Mi hermana Esther se había ofrecido como voluntaria para hacer mi vestido de novia y entonces íbamos a comprar material y los artículos que harían falta para hacer el vestido. Mi prometido y yo reservamos la iglesia y el lugar para la recepción, seleccionamos nuestra fiesta de bodas, el menú, la banda, las invitaciones e hicimos los arreglos necesarios para el día de nuestra boda. Nos reunimos con el sacerdote para las instrucciones y recordamos que nos hizo la pregunta: «¿Cuándo creen que se aman más?» y ambos respondimos: «Ahora mismo», a lo que él respondió: «No, se amarán más después de muchos años de casados». Los dos pensamos que esto estaba mal, pero después de muchos años de estar casados, ambos estuvimos de acuerdo en que él tenía razón. De hecho, nos amábamos más después de haber estado casados durante muchos años. Había encontrado a mi alma gemela y estaba muy feliz de estar casada.

Como mencioné antes, regresar a vivir a casa de mis padres fue un error ya que mi padre sintió que debido a que yo estaba viviendo con ellos, todavía tenía derecho a decirme qué hacer a pesar de que ya era una adulta. Estaba molesto conmigo por no escucharlo en cuanto a dónde conseguir un trabajo; quería que yo trabajara en el hospital local. Si salía con mi prometido, él me quería en casa a las diez de la noche… él tenía muchas ganas de controlarme. Hubo un momento en que le respondí y comenzó a abofetearme, y mi madre vino a rescatarme y luego comenzó a abofetearla a ella también. Tuvimos que llamar al *sheriff* a la casa para evitar un problema mayor. Definitivamente fue un error volver allí. Yo estaba trabajando esa noche y estaba muy feliz de salir de la casa. Sin embargo, el incidente definitivamente me afectó y no me lo sacaba de la cabeza mientras trabajaba. Al salir de la cafetería después de cenar, uno de los familiares de mi paciente trató de llamar mi atención tocándome la espalda para hacerme una pregunta. Me contuve antes de casi balancearme hacia atrás y golpearlo con mi brazo derecho. Todavía estaba pensando en ser golpeada por mi padre. No podía esperar a casarme para estar fuera de su casa. Mi prometido y yo encontramos un apartamento amueblado de una habitación en Fresno, que sería nuestro primer hogar.

Capítulo 11

Desafíos de la vida matrimonial

Mi prometido y yo nos casamos el 9 de agosto de 1969 y tuvimos una gran boda a la que asistieron familiares y amigos. Algunas de mis compañeras de la escuela de enfermería incluso asistieron, y nos quedamos hasta que todos los invitados se fueron. Me invadió la sensación de libertad porque ya no tenía que responder ante mi padre. Nos mudamos a nuestro departamento en Fresno, que estaba muy cerca del hospital donde yo trabajaba. No habíamos planeado adónde iríamos en nuestra luna de miel, así que al día siguiente nos subimos a nuestro auto y decidimos ir a Disneyland ya que ninguno de los dos había estado allí. También fuimos al zoológico de San Diego y luego viajamos a lo largo de la costa, visitando tantos lugares como pudimos. Pasamos la última noche de nuestra luna de miel en un hermoso hotel en el área de Big Sur con vista al mar. Regresamos a casa después de una semana y nos instalamos en nuestro apartamento como una pareja de recién casados. La vida no podría ser mejor.

Mi esposo trabajaba de día como barbero y yo trabajaba de noche. Entonces, cuando llegaba a casa pasadas las once de la noche, él ya estaba dormido. No estaba contento con este horario y me pidió que consiguiera un trabajo en el turno de día. Le dije que pediría que me cambiaran al turno de día, pero que podría pasar un tiempo antes de que hubiera un puesto disponible. Éramos muy felices en nuestro pequeño apartamento, aunque mis padres nunca venían a visitarnos. Me sentía muy libre de poder hacer las cosas sin tener que pedirle permiso a mi padre. Mi esposo fue muy amable y solidario, y básicamente me dejó hacer e ir a los lugares a los que quería ir. Ambos trabajamos duro y comenzamos a planificar una familia. En diciembre, descubrí que estaba embarazada de mi primer hijo y tenía un caso grave de náuseas matutinas; el turno de la tarde era lo mejor para mí, ya que cuando comenzaba mi turno, ya no tenía náuseas ni vómitos.

Nuestro primer hijo, Stephen Joseph, nació el 4 de octubre de 1970 y ambos estábamos muy felices de ser nuevos padres; un poco asustados, pero muy felices. Mis padres disfrutaban ser abuelos, y mis hermanos y hermanas nos rogaban a mi esposo y a mí que dejáramos al niño con ellos cada vez que íbamos de visita. Incluso antes de que naciera mi hijo, comencé a tener terribles dolores abdominales justo en el medio de mi estómago. Al principio, pensé que era algo que había comido o que el pie de mi bebé presionaba mi abdomen. El dolor aparecía en oleadas y se volvió tan intenso que finalmente busqué ayuda médica ya que los dolores continuaron después de dar a luz a mi bebé. Después de ver a mi médico, me informó que pensaba que mis dolores se debían a cálculos biliares y me remitió a un cirujano. Las pruebas y el examen físico por parte del cirujano confirmaron el diagnóstico y me programaron para cirugía a los dos meses de haber dado a luz. El dolor posoperatorio fue terrible, y la primera vez que me pidieron que me levantara de la cama y caminara, sentí como si me estuvieran desgarrando la gran incisión abdominal. Usé todas mis fuerzas para levantarme de la cama con la ayuda de mi enfermera que era mi amiga y me dijo que no me dejaría sola en su turno. Y con mucha dificultad, me levanté y caminé una corta distancia.

Dado que el embarazo en ese momento no se consideraba una discapacidad, no había estado recibiendo un cheque de pago durante mi tiempo libre después del parto. Ahora el cirujano me decía que necesitaba cirugía y que tendría que ausentarme del trabajo por más tiempo. Estaba estresada pensando que íbamos a tener que estar sin un cheque de pago por un período aún más largo. Sin embargo, la cirugía se consideraría una discapacidad y, por lo tanto, recibiría un pago por ello. Recibir ese primer cheque de pago fue maravilloso y nos quitó algo de estrés, así que lo celebramos con cena y vino. Como iba a tener que ausentarme del trabajo durante unos dos meses más debido a mi gran incisión abdominal, decidimos mudarnos de Fresno a un lugar más cercano a donde trabajaba mi esposo en Selma, así que comenzamos a buscar un lugar para alquilar. Empezamos yendo a una oficina de bienes raíces en Kingsburg. Nos recibió un agente que nos preguntó nuestro apellido, y después de que ambos respondiéramos: «De La Cruz», dijo: «Oh, ¿no es un bonito nombre sueco?». Decidimos en ese mismo momento que no queríamos vivir en esa ciudad. Pudimos encontrar una pequeña casa en el campo que alquilamos por $75 al mes. Sabíamos que queríamos comprar nuestra propia casa, así que cuando pude volver a trabajar después de la cirugía, decidimos tratar de ahorrar la mayor parte de mi sueldo para el pago inicial de una casa. Vivir en la vieja casa de campo no era muy agradable, ya que cuando llegaba a casa del trabajo todas las tardes, había abejas volando en la cocina. No veía la hora de salir de esa casa y, después de nueve meses, comenzamos la búsqueda de nuestro primer hogar.

Después de aproximadamente un año de trabajar en la unidad médica, la enfermera alemana decidió que tomaría una licencia de tres meses para volver a casa. Entonces, con su partida, ahora tenía mi propio lado y ya no tenía que moverme de un sitio a otro. Cuando la enfermera regresó de su permiso, rápidamente me informó que ya estaba de vuelta y que por lo tanto volvería a tomar su lado; momento en el que le informé que ese ya no era su lado y que ahora tendría que saltar de un lado a otro. Entonces me di cuenta de que estaba empezando a encontrar mi voz y usarla para dar a conocer mis sentimientos. Solo permaneció en la unidad durante aproximadamente un mes antes de solicitar un traslado a otra unidad.

Tenía libre cada tercer fin de semana, así que siempre hacíamos planes para ir a visitar a su familia y a la mía. Me sentí muy acogida por su familia, pero sabía que mi padre no se preocupaba por mi esposo, por lo que era estresante cuando íbamos a visitar a mi familia. Para crédito de mi esposo, él nunca se quejó y siempre me acompañó a pesar de que mi padre nunca hablaba mucho con él. Cuando mi hermana se casó con su esposo, mi padre lo quería mucho y me costaba mucho verlo hablar y bromear con mi cuñado, pero no con mi esposo. No podía entender por qué. Sentí que había hecho todo bien; me había graduado de la universidad, me casé con un hombre mexicano que era católico y, sin embargo, mi cuñado era anglo y no católico y se llevaba bien con mi padre. Nunca pude descifrarlo, pero fue doloroso para mí ver y ocultar el dolor. Me dije a mí misma que no me detuviera en eso y me concentré en mi matrimonio y trabajo.

Trabajé muy duro y finalmente pude pasar al turno de día después de que finalmente hubo un puesto disponible. Aunque odiaba tener que dejar a mis colegas del turno de la tarde, estaba claro que tenía que suceder por el bien de nuestro matrimonio. Continué demostrando mis habilidades como enfermera y líder, y después de tres años, me pidieron que presentara mi solicitud para el puesto de supervisora cuando la actual se jubiló. Como no estaba segura de estar lista para aceptar la responsabilidad adicional, decidí correr el riesgo. Trabajé duro para aprender mi nuevo rol y realicé cambios importantes en el ambiente de trabajo para brindar cobertura de supervisión por un período de tiempo más prolongado. Las tres supervisoras de planta cambiaron nuestros horarios para que estuviéramos disponibles para el personal todos los días de la semana de cinco de la mañana a nueve de la noche en vez de solo de ocho de la mañana a cinco de la tarde. Me gustaban las nuevas responsabilidades y ganaba nuevas experiencias todos los días.

Capítulo 12

Enfrentar la discriminación como mujer

Hasta ese momento, habíamos estado alquilando y decidimos que necesitábamos comprar una casa. Comenzamos nuestra búsqueda y nos sorprendió que algunos agentes inmobiliarios no consideraran mis ingresos de enfermería al calcular nuestro ingreso total. Primero buscamos en un nuevo desarrollo en la parte noroeste de Fresno. Encontramos un plano de casa que nos gustaba, pero cuando preguntaron sobre nuestros ingresos, nos dijeron que no calificaríamos porque no podían considerar mis ingresos. Cuando pregunté por qué, nos dijeron que podría quedar embarazada y no trabajar, por lo que no podían considerarlos. En consecuencia, se nos negó la posibilidad de presentar nuestra solicitud en un nuevo hogar en un nuevo desarrollo. ¡Hablando de discriminación hacia las mujeres!

Los padres de mi esposo nos habían dicho que nos prestarían el dinero para el pago inicial de una casa en Selma que nos gustaba. Sin embargo, por alguna razón desconocida, cambiaron de opinión y rescindieron su oferta. Estábamos muy decepcionados porque habíamos encontrado una casa que nos gustaba, pero una vez que retiraron su oferta, tuvimos que rechazarla. Estábamos devastados, pero no renunciamos a nuestra búsqueda.

Finalmente encontramos un agente de bienes raíces que estaba dispuesto a trabajar con nosotros y pudimos comprar nuestra primera casa: una casa de tres habitaciones y un baño en el centro de Fresno.

Debido a que mi esposo era un veterano, pudimos solicitar un préstamo VA que no requería un pago inicial, sino solo los costos de cierre por adelantado. Los costos de cierre eran de aproximadamente $788, y apenas teníamos suficiente dinero ahorrado para cubrir esto. Pero fue suficiente para ayudarnos a comprar nuestra primera casa. Estábamos muy emocionados de mudarnos a nuestra nueva casa, pero a veces nos acostábamos en la cama preguntándonos si seríamos capaces de hacer los pagos de la hipoteca de $165 al mes, ya que acabábamos de duplicar la cantidad de dinero que pagaríamos por una casa. La casa tenía hermosos pisos de madera, pero debido a que la alfombra estaba de moda en ese momento, inmediatamente cubrimos todos los hermosos pisos de madera con alfombra. ¡Como han cambiado los tiempos!

En 1972 quedé embarazada de nuestro segundo hijo. Jeffrey Alan nació el 4 de mayo de 1973. Mis padres estaban felices de ser abuelos por segunda vez y nuestros dos hijos recibieron mucho amor de sus abuelos y tíos. Como esta vez no tuve náuseas matutinas como en mi primer embarazo, supuse que iba a tener una niña. Al tratar de preparar a nuestro primer hijo para el nacimiento de su hermanito, mi esposo y yo le dijimos que tendría una hermanita y su nombre sería Debra Michelle. Para nuestra sorpresa, tuvimos un varón. Como estábamos tan seguros de que iba a tener una niña, no habíamos discutido los nombres de los niños, así que cuando la enfermera vino a mi habitación para preguntarme su nombre, todavía no tenía una respuesta para ella. Mi esposo y yo pedimos un libro de nombres de niños para poder seleccionar un nombre para nuestro nuevo bebé. Como no nos decidíamos, recordé a un actor de vaqueros que me había impresionado con el nombre de Jeff Chandler, así que le pregunté a mi esposo si podíamos llamarlo Jeffrey y él estuvo de acuerdo. Uno de mis amigos médicos vino a visitarme y me preguntó: «Entonces, ¿cómo le pusiste al niño?» y cuando le respondí Jeffrey Alan, me miró desconcertado y preguntó: «¿Jeffrey Alan De La Cruz? ¡Es como llamar a mi hijo Poncho Barman!».

Cuando lo llevamos a casa y le presentamos a Jeffrey a Stephen, nos miró con una mirada de sorpresa en su rostro y preguntó: «¿Qué le pasó a Debra Michelle?». Una pregunta razonable de un niño de dos años y medio. Le explicamos que le habíamos traído un hermano en su lugar, y estaba feliz. A medida que nuestros dos hijos crecían y si alguna vez se peleaban, nuestro hijo mayor a menudo llamaba a su hermano Debra Michelle solo para molestarlo.

Mi esposo y yo decidimos no tener más hijos ya que mis trabajos de parto habían sido muy largos y difíciles. Si bien a él le hubiera gustado intentar tener una niña, yo sabía que pasar por otro embarazo y un parto difícil no era una opción para mí. Decidimos que me harían una ligadura de trompas al día siguiente del parto. Se suponía que iba a tener a nuestro hijo el tres de mayo y tenía programada una ligadura de trompas a las diez de la mañana del día siguiente. Sin embargo, incluso después de ser inducido a las nueve de la mañana del tercer día, Jeff no nació hasta el cuatro de mayo a las cuatro y veintisiete de la madrugada. Solo estuve en la sala de maternidad durante unas pocas horas antes de que me llevaran a cirugía.

Había guardado mi tiempo de licencia en el trabajo para poder estar disponible para usarlo después de la cirugía y, por lo tanto, recibir un cheque de pago. Sin embargo, el día antes de recibir mi cheque, mi gerente me llamó y me informó que, después de todo, no recibiría un cheque de pago al día siguiente. Cuando pregunté por qué, me dijeron que debido a que la oficina de discapacidades consideraba que mi ligadura de trompas estaba asociada con mi embarazo y dado que no reconocían el embarazo y el parto como una discapacidad, yo no era elegible para recibir pagos. Por lo tanto, el hospital no podía pagarme la licencia por enfermedad hasta seis semanas después del parto. No hace falta decir que nos decepcionó mucho. Mi esposo había decidido volver a la universidad y ahora solo trabajaba a tiempo parcial, por lo que no tendríamos muchos ingresos durante seis semanas y tendríamos que vivir de nuestros escasos ahorros. Tener un nuevo bebé no fue fácil, pero lo logramos. Gracias a Dios, las leyes finalmente cambiaron y el embarazo ahora se considera una discapacidad. Volví a trabajar inmediatamente después de las seis semanas ya que necesitábamos mis ingresos. Simplemente no podía entender por qué no podía recibir el pago por discapacidad ya que no me habían hecho la ligadura de trompas en la sala de partos, sino que había ido a la sala de operaciones para esta cirugía. Escribí varias cartas apelando la decisión en vano. No parecía justo que, si un hombre se sometía a una cirugía, pudiera cobrar el pago por discapacidad, pero como yo era una mujer que había dado a luz y luego me operaron, no tenía derecho a recibir el pago por discapacidad. Fue entonces cuando decidí que este era definitivamente un mundo de hombres.

En 1975, decidimos que necesitábamos una casa más grande y comenzamos nuestra búsqueda de casa nuevamente. Encontramos una casa muy agradable de tres habitaciones, dos baños y una sala de juegos en el área de Hoover High que compramos. Pudimos vender nuestra primera casa y usamos el dinero como pago inicial para nuestra segunda casa. Una vez más, nos fuimos a la cama preocupados por si íbamos a poder o no hacer los pagos de la nueva casa, ahora de $364 por mes. Habíamos aumentado nuestros gastos de manutención sin aumentar nuestros ingresos, así que comenzamos a revisar nuestro presupuesto para ver dónde podíamos recortar. Como mi esposo había regresado a la universidad, pensé en volver a trabajar como enfermera y cambiarme al turno de noche para que mi esposo pudiera cuidar a los niños por la noche mientras yo estaba en el trabajo y yo pudiera cuidarlos durante el día, así nos quitaríamos de encima los $150 mensuales en gastos de guardería. Cuando se hizo realidad, nos preguntamos cuándo estaríamos juntos como familia si hacíamos este cambio. Decidimos que reduciríamos los gastos en otros lugares para que yo siguiera trabajando en el turno de día y mantuviera mi puesto. Nos hicimos buenos amigos del agente de bienes raíces que nos había ayudado a comprar esa casa, y todo transcurrió sin problemas con la mudanza. Éramos muy felices allí, hicimos amigos para toda la vida, pero teníamos el sueño de mudarnos al campo para criar a nuestros dos hijos ya que ambos nos criamos en el campo. Después de cinco años de vivir en esa casa, comenzamos nuestra búsqueda de un hogar en el campo.

Debido a que yo era enfermera y no tenía un título superior, y el hecho de que era de una minoría, siempre sentí que tenía que probarme a mí misma ante las otras enfermeras y médicos, así que trabajaba el doble para sobresalir. Noté que no vi muchas enfermeras pertenecientes a minorías trabajando en ese hospital. Había mucho personal perteneciente a minorías en limpieza y dietética, pero podía contar con los dedos de una mano el número de enfermeras tituladas pertenecientes a minorías. A veces los médicos me hacían comentarios sobre mi ascendencia haciéndome preguntas como «¿A dónde fuiste a la escuela, a Tijuana Tech?». Una noche, había decidido trabajar en el turno nocturno con mi personal y vi que la luz de uno de los pacientes no se había respondido con prontitud, así que fui a la habitación para atender esa solicitud. El médico de la paciente estaba al lado de su cama y comenzó a decirme que ella se había quejado de que su luz no se respondía a tiempo. Estaba tratando de averiguar si sucedió más en el turno de día, en la tarde o en la noche cuando el médico me dijo: «Es como el sistema judicial, lo que digan vale», a lo que respondí: «No siempre estoy de acuerdo con el sistema judicial».

En ese momento el médico me dijo: «Entonces, ¿qué haces en este país, por qué no regresas por donde viniste?».

A lo que respondí: «Porque soy ciudadana estadounidense y tengo tanto derecho a estar aquí como usted».

Decidí que había dicho suficiente frente al paciente, así que salí de la habitación. Me siguió y me dijo que quería que bajara a administración con él porque me iba a denunciar. Le dije que, si sentía que necesitaba denunciarme, debería hacerlo, pero que yo estaba demasiado ocupada para ir. Bajó y le informó a mi gerente que estaba en la oficina administrativa en ese momento. Pero curiosamente, después de eso, cada vez que me veía en el pasillo, me saludaba; No estoy segura de por qué, pero nunca volvió a discutir conmigo.

Mientras era supervisora, tuve la oportunidad de postularme para un puesto vacante de gerente de una de las plantas. Desafortunadamente, no fui seleccionada para el puesto y recuerdo que me pregunté si era porque no tenía un mejor título. Creía que tenía la capacidad y las habilidades para convertirme en gerente, pero simplemente me faltaba ese papel. Algunos días, cuando los tiempos se volvían agitados, pensaba en irme y buscar empleo en otro lugar. Sin embargo, siempre me detenía por miedo a no poder conseguir un trabajo similar con el mismo salario en otras instalaciones debido a mi falta de título. Yo era el principal sostén de la familia y no podía darme el lujo de correr el riesgo de tener que aceptar una reducción en el salario. Una vez, mi esposo y yo incluso consideramos comprar una casa en la costa central para alejarnos del calor del verano, pero nos detuvo el temor de no poder obtener un trabajo de supervisión en una de las instalaciones en la costa. En cierto modo, me sentí atrapada.

Ser bilingüe fue muy útil en el trabajo, ya que pude hablar con nuestros pacientes monolingües en español y ayudarlos a satisfacer sus necesidades. Siempre he estado agradecida de que mis padres, en particular mi padre, me hicieran aprender a hablar español; aprendí a escribir en español en la escuela secundaria. Un incidente particular que recuerdo con respecto a la interpretación fue ayudar a un médico a traducir a un hombre mexicano de setenta y seis años. El médico estaba haciendo una consulta pulmonar y me pidió que lo ayudara. Con mucho gusto fui a la habitación del paciente para ayudar. Le estaba haciendo una pregunta simple sobre su salud: «¿Cuánto tiempo ha estado enfermo? ¿Dónde tiene dolor? ¿Qué síntomas tiene?». Me iba bien con la interpretación. Luego me pidió que le preguntara al hombre si tenía algún bulto. Ahora bien, mi padre nunca me había enseñado a decir bultos, y yo no había aprendido esta palabra en mis clases de español, así que estaba perplejo. Queriendo ayudar al médico, le pregunté al hombre lo más parecido que sentí traducido a grumos y terminé preguntándole: «Señor, ¿tiene bolas?».

El paciente respondió con una gran sonrisa y dijo: «Sí, dos».

Le acababa de preguntar si tenía testículos y me respondió: «Sí, dos». En ese momento me puse roja como un tomate, y el médico al darse cuenta de lo que había dicho me dijo que le preguntara si tenía algún problema para orinar, en ese momento le respondí: «No le haré esa pregunta», y rápidamente me marché de la habitación.

Luego, el médico le dijo al personal que yo acababa de hacerle una proposición a un hombre de setenta y seis años y todos se rieron. Después de eso, la gente iba por el hospital preguntándome: «Oye, Pilar, ¿cómo se dice *lumps*?».

Capítulo 13

Introducción a los cuidados críticos

Parte de mi trabajo como supervisora era asegurarme de mantener contentos a los médicos y al personal. Una mañana, un médico de atención pulmonar vino a mí quejándose de que las enfermeras de planta no sabían cómo atender adecuadamente a sus pacientes con problemas respiratorios. Después de dejarlo desahogarse, le dije que lo que necesitaba era tener una unidad especial donde pudiera capacitar a las enfermeras para atender a sus pacientes de la forma en que él quería que los cuidaran y observaran. Estuvo de acuerdo y salió de la unidad para ver a sus otros pacientes en otras unidades. Aproximadamente una hora después de que se fue del piso, recibí una llamada de la oficina de enfermería diciéndome que la directora de enfermería quería verme. Como solo eran las nueve y media de la mañana, pensé que no podía estar en problemas ya que era demasiado temprano.

Bajé a verla y lo primero que me dijo fue: «Tengo entendido que quieres montar una unidad de cuidados intensivos respiratorios», a lo que respondí con una pregunta: «¿Sí, quiero?». Me informó que el médico que se había estado quejando se había reunido con ella y le había dicho que necesitábamos comenzar este tipo de unidad y que yo debía dirigirla. Para mi sorpresa, me acababan de trasladar a un entorno de cuidados intensivos. Me enviaron a un Curso de Cuidados Intensivos que estaba siendo impartido localmente por el Centro de Educación para la Salud del Área (AHEC) para un entrenamiento intensivo de tres semanas. Luego me enviarían a hacer una pasantía durante dos semanas en el antiguo Hospital General en San Francisco y recibiría la tutoría de dos especialistas clínicos, uno en atención respiratoria y otro en atención cardíaca. Luego regresaría y abriría una unidad de cuidados intensivos respiratorios como lo había pedido el médico. Estaba entusiasmada con la oportunidad de aprender un nuevo tipo de enfermería de cuidados intensivos. Si bien fue difícil dejar a mi esposo y mis dos hijos pequeños durante el período de dos semanas, estaba feliz de haber tenido la oportunidad de ampliar mi experiencia.

Pude abrir la unidad y contraté enfermeras y las capacité en cuidados intensivos respiratorios. Trabajaba muchas horas, pero realmente disfruté la experiencia. Recuerdo haber tenido que succionar a mi primer paciente a través de su tubo endotraqueal y preocuparme de que lo estaba matando cuando se puso azul mientras lo succionaba. Pronto me di cuenta de que esto sucede, y era una respuesta normal. Debido a que teníamos muy pocas enfermeras, como supervisora, a veces tenía que trabajar un turno doble si la enfermera se reportaba enferma y nadie más podía venir a trabajar en ese turno. Así que trabajaba dieciséis horas seguidas, pero me encantaba el trabajo. Dado que la medicina de cuidados intensivos respiratorios era una especialidad nueva, varios de los médicos que admitían pacientes en esta unidad no estaban familiarizados con la configuración de los ventiladores y otras modalidades de tratamiento. Tuve la suerte de trabajar con maravillosos terapeutas respiratorios que eran expertos en este campo. Recuerdo haberle dicho a Sylvia, la directora del departamento, que le enseñaría todo lo que sabía sobre enfermería respiratoria si ella me enseñaba sobre los ventiladores. Ella estuvo de acuerdo y desarrollamos una gran relación de trabajo y amistad.

Teniendo este nuevo conocimiento, tuve que ponerlo en práctica rápidamente. Tuvimos un paciente que tenía enfermedad pulmonar obstructiva crónica (EPOC) y estaba con oxígeno a dos litros. Estaba bastante somnoliento y fue difícil despertarlo. Después de discutir la situación con el terapeuta respiratorio, ambos decidimos que el paciente estaba recibiendo demasiado oxígeno, pero para determinar si esta suposición era correcta, necesitábamos una serie de gases sanguíneos. Procedí a llamar a su médico, un muy buen médico de medicina interna que podría ser bastante difícil. Lo llamé y le di nuestra suposición. Su respuesta fue: «Lo que realmente quieres que haga es ordenar gases en sangre», y respondí que sí.

Luego me dijo: «Iré a verlo esta noche en mis rondas y luego decidiré si necesita gases en la sangre o no, pero mientras tanto, cuide bien a mi paciente».

Como era hora de que saliera del servicio, informé mi evaluación de este paciente a la enfermera que me relevaría y le dije que la llamaría más tarde para averiguar qué había sucedido con este paciente. Volví a llamar alrededor de las ocho de la noche y, efectivamente, el médico había venido, ordenó gases en sangre y su nivel de dióxido de carbono era demasiado alto, por lo que bajó el nivel de oxígeno a un litro en lugar de dos.

A la mañana siguiente, cuando vi que el médico del paciente entraba en la unidad, quise decirle: «Te lo dije», pero me mordí la lengua y solo dije buenos días. Pero luego vino y me encontró y me dijo: «Sabes, tenías razón ayer. Estaba recibiendo demasiado oxígeno, así que lo bajé». Le dije que me sentía incómoda al cuestionar su orden y me dijo que nunca tuviera miedo de cuestionarlo. Después de eso, cada vez que había un problema respiratorio con uno de sus pacientes, consultaba conmigo si era necesario, hasta el punto de dejarme escribir las órdenes para la instalación de un ventilador y luego las revisaba y firmaba la orden.

Uno de mis pacientes más desafiantes fue una anciana que le pidió a su esposo que fuera a la tienda y le comprara algo de Drano. Su esposo fue a la tienda y regresó con el tipo de gránulos del producto. La esposa le informó que había comprado el producto equivocado, le dijo que quería la forma líquida y lo envió de regreso a la tienda. El esposo hizo lo que ella le pidió y cuando le trajo el líquido Drano, ella procedió a beberlo como una forma de suicidarse. El esposo no tenía idea de que ella quería quitarse la vida. Desafortunadamente para ella, el limpiador de desagües líquido no la mató de inmediato. Estuvo en nuestra Unidad de Cuidados Intensivos Respiratorios durante una semana mientras succionábamos tejido desprendido de su esófago y estómago. Sufrió una muerte terrible, y fue muy duro para nosotros ver cómo finalmente cumplió su deseo de terminar con su vida.

Otro desafío que tuvimos fue una niña afroamericana de dieciséis años con estado asmático. La habían colocado en un ventilador, pero estaba luchando contra el ventilador, por lo que no estaba recibiendo el beneficio de la ventilación debido a su inquietud. Acababa de leer un artículo sobre el uso de Pavulon, un medicamento utilizado para pacientes que luchaban contra el ventilador y no recibían el beneficio de la ventilación artificial. Este fármaco en realidad paralizaba los pulmones, lo que permitía que el ventilador funcionara de forma eficaz y ayudaba a oxigenar al paciente. Se lo mencioné a su médico porque nada de lo que estábamos haciendo la estaba ayudando y sentíamos que la íbamos a perder si no hacíamos algo. Me preguntó si tenía el artículo conmigo y le dije que lo tenía en mi casillero. Me pidió que lo consiguiera, así que corrí a mi casillero y le traje el artículo. Después de leerlo, me preguntó si estaba dispuesta a probarlo, sabiendo que tendríamos que mantenerla completamente sedada mientras recibía el medicamento. Decidimos seguir adelante y este medicamento literalmente le salvó la vida. Eventualmente, pudo ser retirada del ventilador y dada de alta a su hogar. Una verdadera historia de éxito. Me había enamorado de la enfermería de cuidados intensivos respiratorios y me consideraban una experta en este tipo de enfermería.

Un domingo por la mañana cuando me presenté a trabajar en la unidad, me informaron que teníamos como paciente a un niño de un año y medio. Inmediatamente solicité que una enfermera pediátrica trabajara con nosotros ya que no estábamos familiarizados con las dosis de medicamentos pediátricos o los rangos de signos vitales normales para los niños. El niñito simplemente no se veía bien, pero como tenía una traqueostomía, no podía llorar, pero yo sabía que algo andaba mal. Se hizo una llamada al cirujano que era el médico del paciente y se compartió con él las preocupaciones sobre el niño. Estaba impaciente conmigo y me dijo: «Solo trae una enfermera allí que sepa cómo succionarlo», y colgó el teléfono. Supongo que mi llamada había perturbado su rutina de domingo por la mañana.

Por fin, el pediatra del niño vino a ver cómo estaba y le pedí que ordenara una radiografía porque parecía tener problemas para respirar. Fue muy amable y ordenó la radiografía. Me hicieron una radiografía portátil de tórax y unos minutos después recibí una llamada del radiólogo que había leído la radiografía. Me informó que el niño tiene un neumotórax bilateral (ambos pulmones estaban colapsados), y si no hacíamos algo rápido, perderíamos al niño. Rápidamente llamé al cirujano y preparé el equipo que sería necesario para insertar tubos torácicos en el niño para volver a expandir los pulmones. Fue una experiencia aterradora, pero pude mantener la calma, tenía todo el equipo que el cirujano necesitaría para el procedimiento y esperé a que llegara, lo cual hizo rápidamente. También quería decirle: «Te lo dije», pero de nuevo me mordí la lengua y estaba feliz de haber podido salvar al niño.

Desafortunadamente, después de aproximadamente un año de abrir la unidad, mi esposo y yo íbamos en bicicleta con nuestros hijos cuando golpeé la parte trasera de un camión estacionado en mi calle y me caí de la bicicleta con mi hijo menor detrás de mí. Estaba avergonzada porque los niños pequeños que también andaban en bicicleta me preguntaron si estaba bien. Para probar que sí lo estaba, volví a subir a mi bicicleta y regresé a casa. Tuve dolor en la pierna toda la noche y a la mañana siguiente decidí ir al departamento de emergencias para que me examinaran. El ortopeda de guardia vino a verme y me informó después de mirar mis radiografías que me había fracturado el peroné derecho. Me dijo que no tenía que enyesarlo pero que tendría que estar seis semanas sin trabajar. Protesté y le dije que tenía que trabajar porque no teníamos suficientes enfermeras, así que no podía darme el lujo de ausentarme del trabajo. Después de escuchar diferentes razones por las que no podía estar sin trabajar durante seis semanas, se exasperó conmigo y me dijo: «Léeme los labios, Pilar. Vas a tener que ausentarte del trabajo durante seis semanas». Debido a que no teníamos suficientes enfermeras, la unidad tuvo que ser cerrada durante ese período de tiempo hasta que volví a trabajar.

Una vez que regresé al trabajo y reabrí la unidad, comencé a notar los problemas de tener tres unidades diferentes en pisos diferentes con tres gerentes de enfermería distintos. Le sugerí a mi directora de enfermería que tendría sentido combinar las tres unidades bajo un solo gerente, ya que esto promovería la capacitación cruzada de las enfermeras y permitiría una mayor flexibilidad con la dotación de personal. Ella descartó mi idea, diciéndome que los médicos nunca aceptarían ese cambio. Apoyé su decisión, pero aún sentía que tenía sentido. Unos seis meses después, trajo a una amiga suya, una enfermera licenciada de Los Ángeles, y la nombró gerente de las tres unidades. Supongo que mi idea finalmente tuvo sentido para ella. Me molestó que, si bien había sido idea mía, no me dieron la oportunidad de convertirme en gerente, pero ella me convenció de que la nueva persona que había contratado tenía muchos años de experiencia como enfermera de UCI y haría un gran trabajo. Respeté su decisión y me dije que ayudaría a mantener a la nueva gerente. Me quedé como supervisora de la unidad de cuidados intensivos respiratorios. Después de aproximadamente un año de su liderazgo, se hizo evidente para todas las enfermeras que ella no sabía tanto como decía saber sobre enfermería en cuidados intensivos. Estaba tomando decisiones administrativas que simplemente no tenían sentido, lo que causó problemas a las enfermeras. Las enfermeras que no estaban contentas con su liderazgo comenzaron a quejarse y varias abandonaron el hospital. Traté de ayudarla, pero ella no quiso escuchar mis sugerencias. Cuando empezó a darse cuenta de que estaba en problemas, un día me vio en el pasillo y me dijo: «Sabes, Pilar, puedo fallar en este trabajo, pero si lo hago, te llevaré conmigo». No le dije nada, pero para mí misma dije: «*De ninguna manera, señora*».

A medida que más y más enfermeras amenazaban con irse, los médicos se molestaron y se quejaron a la directora. Finalmente tuvo que enfrentar el hecho de que su amiga no podía hacer el trabajo y la dejó ir. Luego me llamaron a su oficina y me dieron el puesto de gerente de las tres unidades de cuidados intensivos. Las enfermeras y los médicos estaban felices y todo volvió a la normalidad. Trabajé muy duro en mi nuevo puesto, hice cambios positivos y las enfermeras volvieron a estar felices. Pudimos reclutar nuevas enfermeras, y algunas de las que se habían ido decidieron regresar una vez que se hizo el cambio. Comenzamos a capacitar a las enfermeras y, si bien no estaban contentas al principio, pronto se dieron cuenta de que la capacitación cruzada las convertiría en mejores enfermeras y les brindaría mayor flexibilidad, seguridad y oportunidades laborales.

Estábamos en el sistema de méritos para nuestras evaluaciones anuales. El objetivo era reconocer los logros de la persona individual y recompensarlos en función de su desempeño durante el último año. La escala de evaluación fue del cero al seis por ciento. Cuando me llamaron a la oficina de la directora para mi evaluación, me dijeron que había hecho un gran trabajo el año pasado y que realmente merecía un seis por ciento, pero que si me lo daban estaría ganando más dinero que algunos de los gerentes que habían estado en el puesto más tiempo que yo, así que me iban a dar un tres por ciento. Le agradecí sin quejarme, tratando de convencerme de que debía estar feliz con el tres por ciento que me habían dado. Todavía no había aprendido la importancia de ser asertiva. Hasta aquí las evaluaciones basadas en el desempeño. Más tarde me dije a mí misma que nunca dejaría que esto me pasara de nuevo.

Yo era madre de dos niños pequeños que necesitaban mucha atención. Mi esposo estaba terminando su carrera en Fresno State, acabábamos de comprar una casa nueva y la vida era estresante. Tenía que pasar muchas horas en el trabajo y no dormía lo suficiente. Mi esposo y yo estábamos luchando para criar a dos niños y mantenernos al día con sus actividades y necesidades. Finalmente, llegó la gota que colmó el vaso. Me estaba preparando para hornear un pastel de café para llevar a la reunión de personal programada que había planeado para el turno de la noche a las cuatro y media de la madrugada del día siguiente. Cuando traté de sacar el azúcar moreno de la caja, se había endurecido y no pude usarlo. Comencé a llorar y empecé a golpear la caja en el mostrador de la cocina. Mi esposo escuchó la conmoción y entró a la cocina para ver qué estaba pasando. Cuando vio mi condición, simplemente me rodeó con sus brazos y me abrazó y me dijo que todo iba a estar bien. Esa noche tomé la decisión de que el trabajo de gerente era demasiado estresante para mí en este momento y que tendría que tomar una decisión entre salvar mi matrimonio o mi trabajo. Decidí que mi matrimonio era más importante, así que al día siguiente entregué mi carta de renuncia después de casi dos años en el cargo. Mientras trabajaba como gerente, tomé y aprobé el examen nacional de cuidados críticos que me certificó como enfermera licenciada en cuidados críticos (CCRN). Fui una de las dos primeras enfermeras del hospital en alcanzar este estatus. Gracias a mi certificación, pude tomar un trabajo en el Departamento de Educación como instructora clínica de cuidados intensivos.

Este trabajo era mucho menos estresante y prometí que nunca volvería a aceptar otro puesto de gestión/supervisión. Me encantó mi tiempo trabajando en el departamento de educación. Trabajé con algunas enfermeras maravillosas y muy talentosas en el departamento, y nuestra reputación de ser un departamento excelente era bien conocida en todo el Valle Central. Teníamos una gerente que creía en nuestro talento y promocionaba nuestro conocimiento y talento a los administradores. A todos nos encantaba trabajar para ella; ella se convirtió en una de mis mentoras. Pensé que había muerto y me había ido al cielo trabajando en este departamento. Pude establecer nuestro propio curso de cuidados intensivos para capacitar a nuevas enfermeras y ofrecer otras clases educativas para el personal. A pesar de que tuve que aceptar una reducción en el salario con este cambio, me estaba divirtiendo y disfrutando de mi trabajo nuevamente, que era mucho menos estresante.

Foto de bebé, 1 año, 1947

Foto de graduación de la escuela secundaria,
Reedley High School, promoción del 64

Rocky, el perro Husky de Alaska perteneciente a las monjas, Hermanas de la Caridad que dirigían el hospital y la escuela de enfermería.

Yo con mi amiga y colega enfermera, celebrando recibir mi maestría

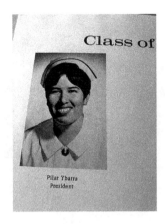

Escuela de Enfermería O'Connor, fotografía de graduación, 1968

Mi primer auto, 1969 Pontiac Firebird, 6 cilindros, cámara superior

Primer esposo, Joe y yo en Hawái, 1980

De vacaciones en el sur de California, 1982 (Joe, yo, Stephen y Jeffrey)

Mamá y papá, Joe y Margaret Ybarra, 1991, Salinas, CA

Foto familiar, 1991, dos meses antes de perder a nuestra madre por cáncer (primera fila: sobrino Russell, sobrino Justin, madre, sobrinas Lindsey, Nicole y Sarha, padre, sobrino Michael e hijo Jeff; segunda fila, hermano Eddie, sobrina Amy, sobrino Jason, cuñada Lou, hermano Jess, hermana Esther, cuñado Mickey, hermana Mattie, yo, foto de mi hijo Steve que estaba en la universidad, primer esposo Joe, hermana Terri y cuñado Jaime).

Celebración de la fiesta de cumpleaños número 50 con el tío Ben, la tía Isabel y las primas Cecilia y Alice Ybarra

Haciendo tamales en Navidad con la familia (las sobrinas Sarah y Amy y el hermano Jess y la cuñada Lou)

Con hermanos y hermanas en Salinas, 1997 (hermano Jess, hermanas Terri, Mattie y Esther, yo y mi hermano pequeño Eddie)

Amigos de mucho tiempo, Ana y Carlos Medrano, quienes me acompañaron a Boise, Idaho para mi presentación después de la muerte de Joe.

Con amigas de la secundaria (Ana, Mary, Sally, Isabel
y yo en uno de nuestros almuerzos mensuales)

De vacaciones en Newport News, VA 2000 yo
y mi buena amiga enfermera, Carolyn

Foto familiar durante unas vacaciones en Cabo San Lucas, 2014 (en la foto aparecen mi hijo Stephen, mi nuera Bárbara, yo, mi nieta Breanne, mi segundo esposo Félix, mi nieta Gracie, mi hijo Jeffrey y mi nuera Alisha)

Con mi nieto, Adrián (AJ), en su graduación de jardín de infantes, 2017

Fin de semana de hermanas en San Luis Obispo, 2018

Día de la boda, mayo de 2018 con David Samoulian en nuestro jardín

Capítulo 14

Desafíos de la vida rural

Por esta época intensificamos la búsqueda de un hogar en el campo. Mi esposo había estado guardando su solicitud de préstamo Cal-Vet hasta que encontramos una casa de campo. Después de buscar tanto en el lado oeste como en el este de Fresno, decidimos establecernos en el lado este debido a las vistas y la disponibilidad de agua. Encontramos una casa nueva que había sido construida como una casa especial en el área de Sanger. Habíamos visto cómo se construía mientras conducíamos por el campo de camino a visitar a nuestros padres. La nueva casa estaba ubicada en dos acres y era más grande que nuestra casa actual, con espacio para crecer. Llamamos al agente de la lista y le pedimos ver la casa. Nos recibió un domingo por la tarde y nos mostró la propiedad, y ambos nos enamoramos de la casa. Cuando nos íbamos, el agente de bienes raíces nos dijo: «No creo que puedan comprar esta casa». Nos preguntamos por qué haría tal comentario, pero no respondimos y discutimos su comentario una vez que estuvimos en el auto. Mi esposo me dijo con voz decidida: «Te voy a comprar esta casa».

Decidimos llamar a nuestro amigo agente inmobiliario que nos había vendido nuestra segunda casa y le preguntamos si nos ayudaría a hacer una oferta por esa casa. Estuvo de acuerdo y presentamos nuestra oferta en febrero de 1980, y nuestro amigo llamó al agente del anuncio. A la mañana siguiente, el agente inmobiliario me llamó bastante molesto y me preguntó por qué habíamos llamado al otro agente inmobiliario. Le respondí: «Porque no confiamos en ti después del comentario que nos hiciste». Él no estaba contento, pero estábamos mirando por nuestros intereses. El precio solicitado era de $118,000 y, después de discutirlo con nuestro amigo agente inmobiliario, decidimos hacerle una oferta de $101,500. Las tasas de interés eran altas y sabíamos que la casa había estado en el mercado durante casi un año. En consecuencia, decidieron aceptar nuestra oferta y firmamos un contrato por un período de depósito en garantía de sesenta días. Estábamos intercambiando nuestra casa actual como pago inicial y teníamos que hacer algunas reparaciones que hicimos. Dimos un pago inicial y comenzamos el depósito en garantía.

Estábamos emocionados por mudarnos a nuestra casa en el campo y comenzamos a hacer planes para nuestra mudanza. Estaba en una conferencia de cuidados intensivos en Atlanta cuando mi esposo me llamó y me dijo que el constructor lo había llamado y le había dicho que no había trato. No podía entender por qué, ya que habíamos hecho todo lo que habíamos acordado hacer por nuestro hogar actual y sentíamos que teníamos un contrato válido. Cuando regresé a casa al día siguiente, llamamos a nuestro amigo agente inmobiliario y le contamos lo que había sucedido. Dijo que teníamos un contrato válido y que no podían simplemente quitarnos la alfombra debajo de los pies. Tratamos de hablar con el constructor y el agente de bienes raíces, pero no cedieron y, de hecho, volvieron a poner la casa en el mercado. Compartía oficina con una amiga en el trabajo y, después de contarle lo que había sucedido, accedió a llamar al agente inmobiliario y fingir ser una compradora interesada. Como compartíamos una oficina, ponía el teléfono en altavoz y yo podía escuchar toda la conversación. Preguntó si había alguna oferta por la casa y le dijeron que había habido una pero que las personas no habían calificado; ambas sabíamos que esto no era cierto. Decidí comenzar a escribir cartas a la Junta de Bienes Raíces y al Better Business Bureau quejándome de la agencia del anuncio. Esto continuó durante semanas, y me estaba preparando para escribir una carta al Departamento de Vivienda y Desarrollo Urbano de los EE. UU. (HUD) para quejarme de estas acciones, y nuestro amigo agente inmobiliario le informó al vendedor sobre lo que estaba a punto de hacer. El vendedor y el agente inmobiliario finalmente accedieron a cumplir con el contrato original, pero tomó hasta finales de julio para que esto se llevara a cabo.

Después de que hicimos nuestra oferta, las tasas de interés habían bajado y se dieron cuenta de que habían vendido la casa a un precio demasiado bajo y querían corregir eso, por lo que decidieron intentar vender la casa nuevamente a otro comprador.

Antes de mudarnos a nuestra nueva casa, un día estaba visitando la casa y encontré pequeños montones de lo que parecía aserrín en el piso de la cocina. Notifiqué al vendedor de esto, y descubrieron que se había usado madera verde para construir los gabinetes de la cocina y que la madera tenía escarabajos. Así que el vendedor tuvo que cubrir toda la casa y fumigarla. La casa necesitaba pintarse antes de que el banco nos prestara el dinero de la casa, así que mi esposo y yo pasamos un fin de semana entero pintando los lados y la parte trasera de la casa (el frente era de madera roja) para que pudiéramos obtener nuestro préstamo. La gente de la construcción también había dejado un montón de cachivaches en el patio trasero, y también tuvimos que deshacernos de toda esa basura. La casa estaba rodeada de malezas altas que tuvimos que quitar ya que se consideraba un riesgo de incendio. Después de que todo terminó y estábamos a salvo en nuestra casa, el vendedor y el agente inmobiliario se reunieron con nosotros para asegurarse de que todo estuviera en orden y se disculparon por los problemas. Le informé al agente inmobiliario que él y el vendedor se habían equivocado con los mexicanos.

Cuando hicimos nuestra oferta, nos dijeron que la casa tenía un préstamo de construcción y que un pago global vencería en abril de 1981. Estábamos de acuerdo con esto, ya que habíamos solicitado nuestro préstamo Cal-Vet y pensamos que vendría antes de eso. En septiembre, el vendedor nos informó que nos había dado un plazo incorrecto y que el pago global vencía en realidad en octubre de ese año. El saldo adeudado de la casa era de $80,000. Debido a que Cal-Vet solo prestó un máximo de $55,000, tuvimos que aportar los $25,000 adicionales. Mis padres habían accedido a prestarnos la diferencia, y mi madre fue a su banco para que transfirieran el dinero a nuestra cuenta bancaria. Cuando fui al banco a buscar el dinero, me dijeron que como el dinero todavía no había llegado a su banco, no podían darme un cheque. Sabían que el dinero había sido depositado, pero su banco aún no había recibido la transferencia. Pedí hablar con el gerente de la sucursal y le expliqué la situación y que necesitábamos cerrar ese día. Le dije que si no me daban el cheque me iba a sentar frente a la puerta de su casa hasta que lo hicieran. Estuvo de acuerdo en darme el dinero, y finalmente pudimos cerrar el trato con nuestra casa.

Mi padre compró a cada uno de nuestros hijos una cabra para que pudieran comer toda la hierba que rodeaba la casa. Las cabras eran un fastidio y se comían todo lo que tenían a la vista, incluida la hierba. También se comieron el árbol que habíamos plantado como nuestro primer árbol para nuestra casa. Eventualmente, ambas cabras murieron y ya no tuvimos que preocuparnos por ellas. Contratamos a alguien para que viniera y quitara todas las malas hierbas.

Nuestros hijos estaban interesados en los deportes (fútbol, béisbol, baloncesto), así que los fines de semana y durante la semana después del trabajo, me convertí en un taxi para llevarlos a sus prácticas y juegos. Un hijo jugaba fútbol en Fresno y el otro jugaba en Sanger, y ambos tenían partidos el sábado; a veces en horarios muy parecidos. En consecuencia, tenía que ir y venir, y a veces tenía que hacer planes con otros padres y pedir ayuda para llevar a uno de mis hijos a su partido y luego llegaba tan pronto como podía. Como mi esposo trabajaba los sábados, yo era responsable de llevarlos a sus eventos ese día. Recuerdo que un día mi madre se molestó conmigo y me dijo que debería estar descansando el sábado en lugar de estar corriendo y llevándolos a sus partidos. Sabía lo duro que trabajaba durante la semana y estaba preocupada por mi salud. Le dije que algún día tendría mucho tiempo para descansar, pero que en este momento era el momento de ellos y tenía que hacer sacrificios para apoyarlos en sus intereses. Cuando más tarde me preguntaron por qué había esperado tanto para volver a la escuela y obtener mi título, respondí que quería asegurarme de tener tiempo para mis hijos y poder estar en sus eventos. Recordé lo importante que había sido para mí y la promesa que me había hecho a mí misma. Estaba exhausta de trabajar a tiempo completo y de apoyar todas las actividades de nuestros hijos, pero sabía que las cosas mejorarían a medida que crecieran.

Capítulo 15

Volver a la gestión

Después de algunos años de trabajar en el Departamento de Educación, el supervisor actual decidió aceptar un puesto de supervisor en una de las unidades clínicas y dejó nuestro departamento. La gerente me llamó a su oficina y me pidió que asumiera el trabajo de supervisión del departamento. Le dije que no me interesaba, que había jurado que nunca más volvería a ocupar un puesto directivo. Después de que el gerente me presionara continuamente para que tomara el puesto, cedí y compartí el puesto con otra enfermera. Yo era responsable de los instructores clínicos y la otra supervisora era responsable de la educación continua. En mi función, debía asistir a las reuniones de gerentes de enfermería todas las semanas para identificar las necesidades educativas del personal de enfermería y luego trabajar para satisfacer esas necesidades. Se había contratado a una nueva directora de enfermería y, después de trabajar con ella durante un año, me pidió que asumiera el cargo de gerente de las unidades de cuidados intensivos y telemetría. Le dije que no me interesaba porque estaba muy feliz trabajando en el Departamento de Educación. No aceptaba un no por respuesta y me perseguía cada vez que me veía. Finalmente cedí y acepté asumir el cargo con la salvedad de que podría salir temprano dos días a la semana, sin sentirme culpable, para ir a los partidos de fútbol de mis hijos que se jugaban dos veces por semana a las tres de la tarde. Cuando ella aprobó mi solicitud, acepté el puesto. Supongo que la moraleja de esta historia es nunca decir nunca.

Comencé mi nuevo trabajo como gerente y estaba entusiasmada con la nueva oportunidad. No había formación para el puesto que se ofreciera en ese momento. Mi primer día en mi nuevo puesto, mientras estaba sentada en mi escritorio en mi oficina, me pregunté cuál era mi papel y la respuesta fue gerente. ¿Gerente de qué? La respuesta fue gerente de personas. Entonces, después de darme cuenta de que mi rol era el de gerente de personas, me dije a mí misma que si ese era mi rol, entonces esta nueva gerente mejor salía de su oficina y estaba con el personal que yo debía gestionar, ya que no podía hacerlo sentada detrás de un escritorio. Así comenzó mi transformación de convertirme en una gerente que aprendió el valor de la administración itinerante, la gestión caminando y hablando con el personal. Hice rondas todos los días, y el personal sabía que, si no me veían, significaba que no estaba en el trabajo ese día. Descubrí que, al estar con el personal, la comunicación y la interacción eran mejores, ya que estaba disponible para ellos si tenían alguna pregunta o inquietud. Pude ver por mí misma cualquier problema con el que tuvieran que lidiar con respecto a los equipos o las políticas, y siempre podían detenerse y hacerme una pregunta. Este tipo de gestión funcionó para mí y lo usé durante el resto de mi carrera.

Uno de los desafíos en este rol fue no tener un número suficiente de enfermeras. A menudo estábamos cortas y las enfermeras tenían que trabajar horas extra para cubrir los turnos. Parte de mi trabajo era hacer los horarios de las enfermeras cada seis semanas. Este trabajo era especialmente difícil durante la temporada navideña: Acción de Gracias, Nochebuena, Navidad, Nochevieja y Año Nuevo. Se pidió a las enfermeras que se inscribieran en su primera, segunda y tercera opción, y se hizo todo lo posible para darles la opción solicitada si era posible. Incluso les permitiría dividir el día de Navidad dividiendo el turno con otra enfermera. Una enfermera con niños pequeños pediría estar fuera de la primera parte del turno para poder estar en casa con sus hijos la mañana de Navidad y trabajar la segunda parte del turno. Mientras el turno estuviera cubierto, yo era feliz. Un año, me había llevado los horarios a casa para finalizarlos por la noche y, a la mañana siguiente, mientras cruzaba la calle concurrida, se me cayeron accidentalmente de las manos y se esparcieron por el medio de la calle. Me hice la pregunta de si preferiría arriesgarme con las enfermeras de la UCI o con los autos. Mi decisión fue rápida y pronto estaba parada en medio de la calle agitando los brazos para que los autos se detuvieran. Había decidido que prefería arriesgarme con los autos que con el personal de la UCI. Así que me paré en el medio de la calle y agité mis manos para que los autos se detuvieran hasta que pude recoger todos los horarios antes de que se rompieran y arruinaran.

Además de la escasez de enfermeras, nos quedábamos sin el equipo y los suministros necesarios, y las enfermeras tenían que hacer trabajos que no eran de enfermería para mantener la unidad en funcionamiento. Los sindicatos estaban tratando activamente de organizar a las enfermeras en Fresno y un par de enfermeras en la UCI decidieron formar un grupo de enfermeras que no estaban interesadas en unirse a un sindicato pero que querían ver que las cosas mejoraran. Tenía reuniones con ellos y trataba de satisfacer sus necesidades, pero ellos querían reunirse con la directora de enfermería y compartir sus sentimientos directamente con ella. Organicé la reunión con ella para permitirles ventilar sus frustraciones. Se llevó a cabo una reunión y las enfermeras se turnaron para explicar sus frustraciones a la directora. Pude ver que la cara de la directora se ponía más roja a medida que presentaban sus preocupaciones. No querían un sindicato, pero querían ser escuchadas. Después de la reunión, la directora me pidió que fuera a su oficina. Sabía que no estaba contenta con el resultado de la reunión. Me indicó que despidiera a las dos enfermeras que eran las portavoces del grupo. Le pregunté por qué motivo, en mi opinión, no habían hecho nada malo y ambas eran buenas enfermeras. Ella dijo que eran alborotadoras y que iban a causar problemas. Le dije que no teníamos motivos para despedirlas; acababan de expresar sus frustraciones y querían que se hicieran algunos cambios para mejorar sus condiciones de trabajo. Ella insistió en que las despidieran y yo le dije que no lo haría. Le advertí que todavía no teníamos un sindicato, pero si despedíamos a las dos enfermeras, podía garantizarle que tendríamos un sindicato ya que las otras enfermeras se sumarían a su causa. Me dijo que eran ellas o yo. Respondí que tendría que ser yo ya que no estaba dispuesta a despedirlas y salí de su oficina realmente esperando que me despidieran por insubordinación.

Dio la casualidad de que el director de operaciones le pidió que se fuera unos días después y yo continué en mi puesto. No estaba feliz de que se hubiera ido, pero me alegré de haberme mantenido firme y haber hecho lo correcto al no despedir a las dos enfermeras. Si bien nunca compartieron esta historia con ellas, fueron inteligentes y capaces de descubrir qué había sucedido. Esta situación fue solo uno de los muchos desafíos que enfrentó como gerente.

Habíamos comenzado un programa de corazón abierto y el cirujano cardíaco era conocido por sus gritos cuando no estaba contento con algo. A menudo entraba en mi oficina y gritaba y se lo podía escuchar en todo el pasillo. Era muy buen cirujano y siempre compraba comida para las enfermeras los fines de semana para tratar de compensar sus gritos.

Un día hicimos una apuesta y el trato era que quien perdiera la apuesta tendría que llevar al otro a almorzar. Perdí, así que la próxima vez que lo vi, le pregunté dónde quería ir a almorzar. Su respuesta fue Harris Ranch. Ahora bien, ese restaurante estaba ubicado en Coalinga, un pueblo por lo menos a una hora de distancia de Fresno, así que le dije que no teníamos tiempo para ir a almorzar a Harris Ranch. No estuvo de acuerdo y me dijo que lo encontrara en el aeropuerto. No sabía que era dueño de un avión y que también lo podía volar. Así que mis dos supervisoras y yo nos reunimos con él en el aeropuerto, abordamos su avión y partimos hacia Harris Ranch. Era la primera vez que volaba en un avión pequeño, así que fue una experiencia nueva. Tuvimos un gran almuerzo y él insistió en pagarlo. Volamos de regreso y volvimos al trabajo.

En otra ocasión, decidió que quería que yo aprendiera a esquiar, ya que nunca había aprendido, así que me invitó a mí y a mis dos supervisoras a su condominio en North Shore en Lake Tahoe, donde fuimos a esquiar a Squaw Valley. Él pagó para que yo tuviera lecciones privadas en la mañana, y traté de sobornar a mi instructor dándole dinero si me dejaba ir a la cafetería a tomar café y decir que tomé las clases, pero ¡ay! no aceptó. Así que fue toda una aventura, me caí más veces de las que quisiera recordar. Por la tarde, se convirtió en mi instructor. Me pidió que esquiara hacia él y como aún no sabía cómo girar, esquié justo sobre sus nuevos esquís. Entonces decidió que íbamos a subir al telesilla y subir a la cima de la montaña. Bueno, como no había hecho esto antes, no podía subirme a la silla. Mis esquís seguían deslizándose en la nieve blanda, y después de mucho intentar levantarme de la silla, mi cabeza estaba donde debería haber estado mi trasero y seguí deslizándome. Se quedó allí sentado fingiendo que no me conocía. Cuando finalmente el asistente me pudo detener, había una fila muy larga de personas esperando para subirse al telesilla. Me sentí aliviada de estar finalmente sentado en el telesilla, pero pronto me di cuenta de que tendría que bajarme.

Me dijo: «Hagas lo que hagas, no te caigas, me vas a avergonzar». Por supuesto, al bajarme del telesilla, inmediatamente me caí. Me las arreglé para levantarme, pero seguí cayéndome.

Finalmente me frustré y grité: «¡Renuncio!». a lo que él respondió: «Pilar, te conozco desde hace dieciséis años, y nunca te has dado por vencida y no vas a empezar ahora. Así que levántate y empieza a esquiar».

Después de caer por lo que pareció la centésima vez, me dijo que el resort cerró a las cuatro de la tarde y que iban a tener que mandar a los perros San Bernardo a buscarnos. Como solo eran las tres, pensé que todavía teníamos una hora y probé una nueva táctica. Cada vez que me caía, rodaba lo más lejos posible y luego me levantaba y lo intentaba de nuevo. Después de muchas caídas y esfuerzos, finalmente pude esquiar montaña abajo. Ambos colapsamos cuando llegamos al fondo. Juré no volver a esquiar nunca más en mi vida, pero a la mañana siguiente volvimos a la montaña y pude esquiar. Sin embargo, esta experiencia me dijo que el esquí no era mi deporte. Más tarde me dijo que estaba seguro de que si hubiéramos grabado mi experiencia de esquí y la hubiéramos enviado al programa de televisión America's Funniest Home Movies, podríamos haber ganado el premio de $10,000; probablemente tenía razón.

Nuestro programa de corazón abierto creció y generó buenos ingresos para el hospital, y el desafío era tener suficientes enfermeras de corazón abierto para atender a sus pacientes. A veces, hacía tres casos en un día, lo que realmente agotaba nuestros recursos. Otro cirujano cardíaco que había iniciado el programa de corazón abierto en el Children's Hospital decidió unirse a nuestro equipo. Había estado trabajando en el principal hospital competidor de la comunidad y decidió expandir sus servicios a nuestro hospital. Era muy particular y un día vino a mi oficina y me informó que solo quería que ciertas enfermeras de corazón abierto atendieran a sus pacientes. Le dejé expresar sus puntos de vista y luego le informé que no podía hacer esa solicitud ya que todas las enfermeras de corazón abierto designadas habían sido igualmente capacitadas y todas se turnarían para cuidar a sus pacientes tal como lo hicieron con el otro cirujano. Le hice saber que, si tenía un problema con la atención brindada por una de las enfermeras, entonces debería venir y hablar conmigo. No discutió, se levantó de su silla y salió de mi oficina. Nunca recibí una queja de él sobre ninguna de las enfermeras de corazón abierto.

Todas nuestras enfermeras trabajaban en turnos de doce horas, y debido a que teníamos escasez de enfermeras, las que trabajaban en el turno de día tenían que turnarse y rotar al turno de noche para cubrir cada dos meses. Una de nuestras enfermeras de corazón abierto había regresado a la escuela para obtener su maestría a fin de convertirse en enfermera profesional con práctica médica familiar. Debido a sus clases, pasó de trabajar a tiempo completo a trabajar por días, ya que no podía rotar entre los turnos de día y de noche debido a sus clases. Sin embargo, trabajaba los siete turnos de un período de pago como las enfermeras de tiempo completo, y durante sus vacaciones (verano y Navidad), trabajaba en los turnos de noche.

Habíamos instituido una nueva política para otorgar reconocimiento a las enfermeras de cuidados intensivos que aprobaron con éxito el examen nacional de cuidados intensivos y se certificaron como CCRN. Se otorgó un bono de $2,625 a estas enfermeras y la política establecía que tenían que trabajar a tiempo completo, lo que se consideraba siete turnos de doce horas en un período de dos semanas. Envié todos los nombres de las enfermeras elegibles a Recursos Humanos para que pudieran recibir sus bonos. Sin embargo, el director de recursos humanos se negó a pagarle a la enfermera de corazón abierto que trabajaba por día debido a su horario escolar, afirmando que la política establecía que las enfermeras tenían que trabajar a tiempo completo y que ella figuraba como por día. Hice todo lo posible para ayudar al director de recursos humanos a entender que esta enfermera estaba trabajando en el horario de una enfermera de tiempo completo y merecía recibir la bonificación, pero rechazó mis reiteradas solicitudes. Le preocupaba que otras enfermeras también pudieran tener una solicitud similar. Le dije que tendríamos que mirar cada caso individualmente y hacer lo que tuviera sentido. Después de enterarme de que la enfermera estaba pensando en irse a trabajar para el hospital de la competencia que le pagaría por su CCRN, decidí ponerme seria. Me reuní nuevamente con el director de recursos humanos y le dije: «Estoy cansada de tratar de convencerte de que hagas lo correcto, así que no le pagues el bono y déjala que se vaya a nuestro competidor. Sin embargo, cuando el cirujano cardíaco venga a gritarme porque no puede hacer su caso de corazón abierto debido a la falta de enfermeras, lo voy a traer a tu oficina y ya le explicarás tú por qué lo permitiste».

Finalmente me dijo: «Está bien, puedes pagarle», le di las gracias y salí por la puerta. Pudimos mantener a esta enfermera. Su forma de pensar no tenía ningún sentido.

Tuve la oportunidad de trabajar con muy buenos gerentes de enfermería; trabajamos duro pero también nos divertimos. Todos estábamos dedicados a garantizar que el hospital fuera un éxito. En ocasiones, mi estilo de gestión era diferente al de ellos. Recuerdo una situación en la que los cuatro supervisores que me reportaban se atrasaban en las evaluaciones de sus empleados. Cada supervisor tenía entre cincuenta y sesenta empleados que le reportaban, y mientras trataban de mantenerse al día con las evaluaciones, eran interrumpidos constantemente por situaciones que sucedían en la unidad, por lo que las evaluaciones no se completaban. Decidimos implementar una política dentro de nuestro grupo de darles a cada uno de ellos un «día de papeleo» donde pudieran quedarse en casa y trabajar en ello para que pudieran mantenerse al día con las evaluaciones de sus empleados. Los otros tres se turnarían para cubrir la unidad para el supervisor en un día de papeleo. La subdirectora de enfermería me llamó a su oficina un día porque los otros gerentes se habían quejado de que estaba permitiendo que los cuatro supervisores que me reportaban tomaran un día de papeleo. Le dije que se estaban tomando el día para ponerse al día con las evaluaciones de sus empleados, y que no podían hacerlo en el trabajo debido a las constantes interrupciones del personal si estaban en el hospital, así que les dejaría hacer sus evaluaciones en casa.

Ella me preguntó: «¿Cómo sabes que realmente están trabajando en casa?».

Respondí que tendría una pila de evaluaciones en mi escritorio para su revisión y mi firma después de su día de papeleo; Yo era una persona de resultados y no una persona de procesos. Continué con esta práctica. Una de las gerentes solía llamarme la «pequeña niña mexicana»; ella me decía que era una broma, pero nunca estuve muy segura y simplemente le seguí el juego.

Se contrató a una nueva directora de enfermería y, después de haber estado en la organización durante un año, me llamó a su oficina y me dijo que quería que yo me hiciera cargo de la gestión del Departamento de Emergencias (ER).

«No, no el departamento de emergencias», protesté. «No sé nada sobre emergencias».

Esto se prolongó durante algunas semanas, ya que realmente no quería hacerme cargo de este nuevo departamento. Nunca había trabajado en urgencias y sabía que no sería fácil. Ella me dijo que tenía las habilidades de gestión que se necesitaban para administrar este departamento en apuros. El gerente actual tenía una muy buena relación con los médicos y el personal de la sala de emergencias y el sentido común me dijo que estaría caminando en un ambiente hostil con ellos. El personal y los médicos pensarían que yo había pedido que se despidiera a la gerente para obtener el puesto. Más tarde descubrí que este era el caso e incluso algunas de las secretarias de la oficina de enfermería pensaron que esto era así. No sabían cuánto había protestado por esta acción. Pude hacerme cargo de la gestión del departamento y comencé a hacer cambios positivos como obtener el equipo necesario que habían necesitado durante algún tiempo y no habían podido conseguir. El personal no tardó mucho en darse cuenta de que estaba moviendo el departamento en la dirección correcta y comenzaron a confiar en mí y a trabajar conmigo para seguir adelante. Después de mucho trabajo duro, pude ganarme el respeto tanto de los médicos como del personal de la sala de emergencias. Me invitaron a ser parte de sus celebraciones y nos convertimos en un equipo.

Un grato recuerdo de mi trabajo con el departamento de urgencias ocurrió un fin de semana cuando yo era gerente en turno. El empleado de la unidad de urgencias me llamó y me invitó a bajar y tomar un pastel de ron que uno de los miembros del personal había preparado y traído al departamento para compartir. Cuando finalmente pude tomarme un descanso, entré al departamento de emergencias y en el pasillo, podía oler el ron. Le pregunté a la enfermera que había hecho el pastel si había agregado el ron a la mezcla antes o después de hornearlo. Me informó que lo había vertido sobre el pastel una vez horneado. Le dije al personal que por favor se deshiciera del pastel antes de que nos despidieran a todos por tener alcohol en la unidad. Nadie estaba feliz de tener que tirar el pastel, pero todos mantuvimos nuestros trabajos.

Capítulo 16

Viene un cambio

Nuestra corporación tenía problemas económicos y los médicos y la Junta Directiva llamaron a un grupo de consultores. Después de muchas reuniones con los médicos y la gerencia, el resultado final fue que nuestro director general fue despedido y el jefe del grupo de consultoría se convirtió en nuestro nuevo director general. Se envió un aviso a todos los empleados informándonos que todos tendríamos que volver a solicitar nuestros puestos de trabajo ya que había nuevas expectativas. Muchas de las personas que habían estado en puestos gerenciales y de supervisión perdieron sus trabajos, y todo estaba alborotado. Uno de mis amigos médicos me dijo más tarde: «No queríamos que el personal perdiera sus trabajos, todo lo que queríamos era un cambio en el puesto de director ejecutivo; nunca quisimos que le pasara nada al personal».

No podía creer su forma de pensar y le pregunté: «Si crees que tiene termitas en tu cocina y llamas a una compañía de control de plagas para que venga y revise tu cocina en busca de termitas, ¿crees que solo van a mirar la cocina?». No pudo responderme y se marchó.

Se incorporó un nuevo equipo administrativo y se realizaron muchos cambios. Se informó a nuestro equipo de ocho gerentes de enfermería que todos habíamos perdido nuestros trabajos y que ahora habría tres puestos de director de enfermería y que esas personas provendrían de los ocho gerentes actuales. Todos tendríamos que postularnos para estos tres puestos y se tomaría una decisión sobre quiénes serían los nuevos líderes del departamento de enfermería. Nos informaron el viernes por la mañana y nos dijeron que necesitaban nuestra respuesta para el lunes siguiente; no hay mucho tiempo para una decisión tan crucial.

Como se puede imaginar, todos estábamos conmocionados y molestos al mismo tiempo. Decidimos reunirnos en la casa de uno de los gerentes el sábado por la mañana. Al principio, decidimos que ninguno de nosotros se postularía, pero cuando recuperamos el sentido común, nos dimos cuenta de que no se vería bien si ninguno de nosotros postulaba, así que al final, todos menos dos decidimos postularnos para esas tres posiciones. Uno decidió volver al personal y otro aceptó un puesto en el departamento de salud de los empleados. Solicité uno de los tres puestos, pero no esperaba que me nombraran porque no tenía un título, que era lo que preferían, y acababa de regresar a la escuela dos años antes para obtener mi licenciatura en enfermería. Todos estos últimos años, me habían promovido debido a mis habilidades, pero ahora, se esperaba que tuviese un título. Todavía me faltaban dieciocho meses para completar el programa. Todos los demás gerentes tenían una licenciatura, y uno tenía su maestría y otro estaba a solo unos meses de finalizar su maestría.

Cuando finalmente llegó el día de anunciar a los tres nuevos directores, me sorprendió que me nombraran a mí. Sin embargo, el nombramiento requería que completara mi licenciatura dentro de los tres años para poder mantener mi puesto. Cuando me preguntaron por qué había esperado tanto para obtener mi título, mi respuesta fue que tenía dos hijos que eran muy activos con sus actividades escolares y deportivas; ellos eran mi prioridad, por lo que mi objetivo era volver a la escuela una vez que fueran mayores. Nunca me arrepentí de esa decisión.

A veces me invadía un sentimiento de culpa al darme cuenta de que en realidad estaba celosa de mi esposo, quien tuvo la oportunidad de obtener su título de licenciatura bajo el GI Bill y ni siquiera lo estaba usando en su trabajo. Bajo su GI Bill, asistió tanto a Fresno City College como a Fresno State University. Había planeado especializarse en ciencias de la computación, pero cambió de especialización cuando se volvió demasiado difícil para él. Decidió seguir una especialización en español y se graduó con una licenciatura en humanidades. Luego decidió que no quería enseñar y, aceptó un trabajo como agente de seguros vendiendo seguros de vida. Sabía que no tenía la personalidad para este tipo de trabajo, pero lo apoyé en su decisión. Después de seis meses de trabajar en una empresa, lo despidieron y comenzó a buscar otro trabajo. Fue contratado por otra empresa, esta vez como ajustador de seguros en una gran empresa. Tuvo que viajar a Atlanta, Georgia, para recibir capacitación en la oficina central durante seis semanas y luego regresó a casa y comenzó a trabajar en la oficina local. Al principio pareció gustarle y le fue bien durante unos nueve meses, pero luego no pudo cumplir con las demandas del trabajo y también lo despidieron. Cuando finalmente me confesó que lo habían despedido, intentó buscar otro trabajo similar sin éxito. Desesperado, encontró trabajo con un amigo que tenía un negocio de conserjería. Sabía que no estaba contento con ese trabajo, ya que era un trabajo nocturno e interfería con que estuviéramos juntos como familia para cenar y asistir a los eventos deportivos de los niños.

Cuando finalmente nos sentamos a hablar sobre su futuro, me dijo que lo que realmente disfrutaba hacer era ser barbero, así que decidimos que debería volver a serlo, pero esta vez debería tener su propio local y trabajar por su cuenta. Así que compró un negocio de barbería y volvió a trabajar como barbero y fue feliz de nuevo.

Nuestra directora de enfermería era de Nueva York, por lo que decía las cosas de la forma en que las veía, lo que no siempre era bien recibido por el personal administrativo. Introdujo algunos conceptos nuevos en el departamento de enfermería y estaba logrando avances en el cambio de cultura. Decidió viajar a Inglaterra para celebrar el centésimo cumpleaños de Florence Nightingale, y se llevó consigo a un par de empleados. Visitaron el museo y la tumba y trajeron información valiosa que pudieron compartir con el resto de nosotros. Mientras estuvo allí, compró un poco de porcelana que puso en su tarjeta de crédito del hospital en lugar de su propia tarjeta personal. Cuando presentó sus gastos, los gastos de porcelana junto con los gastos comerciales se presentaron para el pago, por error, según ella, y cuando se descubrió, la despidieron. Disfruté trabajar para ella y me entristeció verla irse, pero los otros gerentes no sentían lo mismo.

Después de un breve período de tiempo, se inició la contratación de un nuevo director de enfermería y se incorporó una enfermera ejecutiva del Medio Oeste. Después de seis meses de estar en el cargo, los tres directores tuvimos la oportunidad de ir a un retiro con ella y tuvimos un facilitador que le informó que solo se estaba comunicando con uno de los directores y los otros dos se sentían excluidos. Ella no lo aceptó bien, pero seguimos adelante. Sin embargo, a través de sus acciones, me quedó muy claro que ella no creía que yo supiera mucho ya que no tenía un título. Cuando bajaba a su oficina para hablar con ella, no prestaba atención a lo que yo decía, sino que miraba por la ventana. Trabajó de cerca con los dos directores que tenían sus títulos y básicamente me ignoró. Me sentí discriminada, pero sabía que no me serviría de nada quejarme. Inicialmente, la única directora que tenía su maestría durante algún tiempo parecía sentir que era mejor que yo. Parecía tener el oído de la jefa de enfermeras y llamó la atención. Cuando uno de mis amigos le preguntó cómo era ser directora, ella le informó que era difícil trabajar con personas sin educación refiriéndose principalmente a mí. Nunca olvidé este comentario, y ella perdió mi respeto. Eventualmente, dejó la enfermería y se convirtió en estilista.

Sabía que tenía que salir de esta situación y busqué otras oportunidades de liderazgo dentro de la organización. Cuando fui a Recursos Humanos para hablar con el reclutador de enfermeras y preguntarle qué había disponible, me informó que el único puesto de gestión disponible era el de director clínico de la nueva unidad de subagudos que abriría pronto. Iba a estar a cargo de una empresa de administración externa y buscaban contratar a un director clínico, pero querían que el director fuera su empleado. No me interesaba renunciar a mis años de antigüedad para ir a trabajar a una empresa desconocida, pero de todos modos me pidieron que les enviara mi currículum vitae. Se lo envié por fax a la empresa y treinta minutos después me llamaron y me informaron que estaban interesados en contratarme y que podía quedarme como empleado del hospital. Decidí aceptar el puesto y le di mi aviso al director de enfermería. Creo que sintió que había hecho su trabajo al deshacerse de mí.

El puesto de director clínico dependería del administrador de un hospital hermano, así como del presidente de la empresa administradora. Cuando hablé con el administrador del hospital hermano sobre el puesto, me dijo que estaría reportando a dos jefes y que cualquiera de ellos podría decidir que no estaba haciendo el trabajo a su satisfacción y despedirme.

Entendí que esto era un riesgo, pero sentí que estaba entrando en este trabajo con los ojos abiertos. Me mencionó un salario que era inaceptable para mí, ya que estaba casi al nivel del salario de un nuevo supervisor y yo tenía muchos años de experiencia en administración de enfermería. Una vez más, sentí discriminación porque conocía mi situación y estaba tratando de pagarme lo menos posible. Respiré profundamente, respondí que no aceptaría el puesto por el salario que él ofrecía, ya que ambos sabíamos que mis años de experiencia gerencial valían más de lo que él ofrecía como salario inicial. Finalmente había aprendido a ser asertiva. Me estaba arriesgando, pero confiaba en mi decisión y finalmente me estaba defendiendo. Hubo un momento de silencio absoluto en el teléfono. Me puso en espera y, después de un período de tiempo, volvió a conectarse y me dijo que me pagaría lo que estaba pidiendo, así que acepté el puesto. Acepté otro gran recorte de salario, pero sabía que solo necesitaba salir de mi situación actual para mantener la cordura. Más tarde me enteré de que la nueva administración quería que me fuera y creía que si me llevaban a un centro de atención a largo plazo, me olvidarían y nunca más se sabría de mí; estaban equivocados.

Antes de dejar mi cargo de directora, había estado trabajando en un proyecto con la gerente de gestión de riesgos, y ella tenía programada una presentación ante la Junta de Síndicos de la corporación y me pidió que asistiera con ella a pesar de que ya había comenzado mi nuevo trabajo. La directora de enfermería estaba presente y uno de los miembros de la junta le hizo una pregunta básica que debería haber podido responder, pero no pudo hacerlo. Sabiendo la respuesta y viéndola inquietarse, me pregunté si debería ayudarla respondiendo la pregunta. Por el bien de la enfermería, mi decisión fue responder a la pregunta y salvarle el cuello. Ella nunca me agradeció por eso, pero un año más tarde, cuando estaba teniendo problemas con sus gerentes, me pidió que fuera a reunirme con ella para que le ayudara a pensar cómo podía solucionar algunas cosas. Me pregunté por qué me había llamado ya que no parecía haber valorado mi opinión antes. Le dije que estaba demasiado ocupada para ayudarla y salí de su oficina. Aproximadamente un año después, cuando finalmente se descubrió que no sabía tanto como decía, se le pidió que se fuera.

La unidad de subagudos se clasificó como un centro de atención a largo plazo y atendería a pacientes en coma con ventiladores. Algunos de mis amigos me preguntaron por qué dejaría mi puesto de cuidado crítico, telemetría, emergencia, estadía corta, unidad de cuidados posanestésicos, endoscopia y quirófano para pasar a una unidad de subagudos. Pensaron que había perdido la cabeza, pero en el fondo yo sabía que era necesario hacer un cambio. Debido a que la unidad de subagudos se consideraba un centro de atención a largo plazo, uno de los puestos requeridos era el de director de desarrollo del personal. En consecuencia, una directora de desarrollo de personal de uno de los centros de atención a largo plazo de la organización fue contratada para trabajar conmigo. Pam S. era su nombre y eventualmente nos hicimos muy buenas amigas. Antes de empezar, se dirigió a mí y me dijo que realmente no sabía nada sobre ventiladores, y mi respuesta fue que estaba bien porque yo no sabía nada sobre cuidados a largo plazo, así que aprenderíamos juntas. ¡Terminamos haciendo un gran equipo!

La empresa administradora me envió a una de sus unidades subagudas en Glendale para orientarme sobre ese tipo de atención con el director clínico de la unidad. Me miró y dijo: «Bueno, veremos si puedes seguirme el ritmo».

Oh, por favor, pensé. *¿Seguirte el ritmo a ti? Probablemente pueda trabajar más que tú.* Esto resultó ser así ya que fumaba y tomaba un descanso cada treinta minutos. Estuve un fin de semana con él y luego regresé a nuestra unidad para comenzar a admitir pacientes. La empresa administradora tenía una enfermera que visitaba los hospitales para identificar a los pacientes que necesitaban atención subaguda y los remitía a nuestra unidad. Pronto estuvimos ocupados cuidando a nuestros pacientes. Finalmente admitimos a treinta y tres pacientes que no podían moverse por sí mismos y tenían que ser girados cada dos horas para evitar lesiones en la piel. Uno de nuestros pacientes tenía ELA (enfermedad de Lou Gehrig) y estaba paralizado del cuello para abajo. Estaba muy alerta, pero tenía que comunicarse a través de una computadora porque tenía una traqueotomía y era muy exigente. Sin embargo, era nuestro paciente y lo cuidamos lo mejor que pudimos.

Durante los cinco años completos que estuvimos al frente de esta unidad, ningún paciente desarrolló una úlcera de decúbito, y nuestra unidad se ganó la reputación de ser un excelente centro de atención, lo que nos llevó a tener una lista de espera de familias que deseaban trasladar a sus seres queridos a nuestra unidad. Un día tuvimos un paciente que desarrolló una mancha roja en la cadera y yo estaba bastante molesta. Cuando llamé a la asistente de enfermería certificada (CNA) a mi oficina para preguntarle por qué su paciente había desarrollado una mancha roja, su respuesta fue que simplemente no tenía tiempo para voltearlo. Mi respuesta fue que su trabajo era cambiar a los pacientes cada dos horas para que no desarrollaran una mancha roja, y mi trabajo como directora era entregarle una tarjeta de tiempo trabajado para que le pagaran cada dos semanas. Así que le pregunté que, si yo si no tenía tiempo para entregarle una tarjeta de tiempo, ¿estaría bien que no recibiera un cheque de pago? Le dije que ambos teníamos un trabajo que hacer para asegurarnos de que los pacientes fueran atendidos en nuestra unidad. Me dijo que nunca más volvería a suceder, y yo dije: «Estoy segura de que no sucederá». Nunca tuve otro problema con ningún paciente que tuviera una mancha roja ya que todos sabían y entendían la importancia de convertir a los pacientes y los problemas que podrían ocurrir si no hacían su trabajo.

Como directora de enfermería, me dijeron que yo tenía la última palabra sobre si podíamos aceptar a un nuevo paciente que se nos presentaba. Tuve que decidir si teníamos la capacidad de atender al paciente. Hubo un par de ocasiones en las que tuve que negar la admisión de un paciente porque sentí que no podíamos satisfacer sus necesidades. Un día recibí una llamada del director de enfermería de la empresa de gestión diciéndome que el dueño de la empresa sentía que estaba rechazando demasiados pacientes. Después de explicar mis razones, nunca más me volvieron a preguntar sobre mis razones para rechazar a un paciente. Tuvimos excelentes resultados y ellos estaban ganando dinero.

Después de un año de éxito en el manejo de esta unidad, la gerencia de la empresa enviaría nuevos directores de enfermería para orientarme sobre nuestra unidad. Teníamos un acuerdo de gestión con la empresa que había iniciado el programa, y durante los primeros dos años del contrato, el hospital no ganó nada con este servicio ya que todas las ganancias iban a parar a la empresa de gestión. Una vez que terminamos con el contrato de dos años, le pedí al administrador que no renovara el contrato. Le preocupaba que el contrato incluyera una enfermera que podía reclutar pacientes para la unidad. Le dije que ya no necesitábamos a ese reclutador porque teníamos una lista de espera de pacientes cuyas familias esperaban una vacante para poder transferir a su ser querido a nuestra unidad. Finalmente accedió a no renovar el contrato y la unidad pronto comenzó a ganar dinero. Mantuvimos un censo completo y una lista de espera de pacientes y pasamos nuestra primera encuesta de la Comisión Conjunta con mucho éxito. Cuando hablé con el contable sobre el estado financiero de la unidad, me informó que después de un año sin contrato, la unidad estaba pagando todos sus costos directos e indirectos y aportando más de tres cuartos de millón de dólares a la organización. Nuestra unidad experimentó varias historias de éxito y su éxito se presentó en varios artículos en revistas médicas.

Nuestro programa tenía una política que permitía la terapia con mascotas, por lo que permitimos que los gatos, perros, conejos y otras mascotas de los pacientes visitaran a los pacientes. Notamos que la terapia con mascotas hizo una diferencia en la respuesta de nuestros pacientes. Una de nuestras pacientes semicomatosa amaba los caballos y tenía su propio caballo. Cuando el personal me dijo que querían que su esposo trajera su caballo a nuestras instalaciones, les dije que no haríamos que un caballo viniera por el pasillo para ver al paciente. Sin embargo, les dije que podíamos permitir que su esposo llevara el caballo a la parte trasera de nuestras instalaciones donde teníamos un espacio con pasto y llevara al paciente al caballo. Así que colocamos a la paciente en una camilla y la llevamos afuera para ver su caballo. El caballo reconoció inmediatamente a su dueña y la paciente reconoció a su caballo. Después de esa visita con su caballo, se produjo un cambio en la paciente y, dos semanas después, despertó de su estado semicomatoso y, finalmente, pudo ser dada de alta de la instalación. En total, gracias a los programas especiales que teníamos, diecisiete de nuestros pacientes semicomatosos despertaron del coma y nuestra unidad fue una estrella en la organización. Junto con la terapia con mascotas, empleamos diferentes métodos de estimulación en nuestros pacientes, como hacer que las familias grabaran sus conversaciones durante la cena en casa y luego trajeran las grabaciones, y colocábamos auriculares en los oídos de sus seres queridos y les permitíamos escuchar a su familia hablando. Fue increíble la respuesta que recibimos de ese tipo de acciones.

Capítulo 17

Obtener un título

Cuando finalmente decidí que podía volver a la escuela para obtener mi licenciatura, fui a reunirme con el departamento de enfermería de la universidad estatal local. Después de preguntar qué pasos debía seguir para obtener mi título de licenciatura en ciencias en enfermería (BSN), me informaron que debido a que era un graduado de diploma, básicamente tenía que volver a la escuela y comenzar de nuevo. No me dieron crédito por ninguno de mis cursos que ya había tomado. Me deprimía recibir semejante noticia, y no me parecía justo, así que busqué otras opciones. Afortunadamente para mí, era amiga de la decana de la Facultad de Ciencias de la Salud, la Dra. Carolyn D., en Fresno City College, una universidad comunitaria local. También se desempeñaba como coordinadora de un programa de enfermeras tituladas (RN) a BSN a través de un Consorcio Estatal de Enfermería ubicado en la Universidad Estatal de California, Dominguez Hills en el Sur de California. Me informó que, si me registraba en doce unidades en Fresno City College, me darían crédito por treinta unidades de mi programa de la escuela de enfermería que podrían transferirse. Era música para mis oídos tener esta otra opción, así que en 1985 me inscribí en la primera de las doce unidades en el colegio comunitario. Historia, química y sociología fueron los cursos tomados. Completé las doce unidades y luego me transfirieron al programa de RN a BSN. En 1988, tomé mi primera clase de Fresno City College, una clase de ética ofrecida en la escuela secundaria local, y me encontré sentada en clase con algunos de los compañeros de clase de mi hijo mayor que acababan de graduarse de la escuela secundaria. Me daba un poco de vergüenza sentarme en clase con ellos, pero pronto me di cuenta de que mis experiencias de vida podían ser un activo para la clase, lo que me permitía disfrutarla. Estaba en camino a recibir mi título y pude usar el reembolso de la matrícula en mi trabajo para ayudar a pagar mis gastos educativos. Debido a que trabajaba a tiempo completo, solo podía ir a la escuela a tiempo parcial, por lo que me tomó hasta 1996 completar mi título de BSN. Este programa requería viajar a diferentes partes del Valle de San Joaquín para tomar las clases necesarias, y compartí viajes con otras tres enfermeras que trabajaban en el Hospital St. Agnes, lo que hizo que viajar a los diversos lugares donde se ofrecían las clases fuera una tarea menos complicada. Disfruté todas las clases excepto la de estadística. Esa fue un verdadero desafío ya que involucraba matemáticas, y las matemáticas nunca me parecieron divertidas. Las sesiones de estudio entre compañeros con mi amiga Kim me permitieron comprender mejor y, en última instancia, aprobar el curso. Con mi experiencia en cuidados intensivos, pude contribuir en gran medida en nuestro curso de evaluación física. Después de muchos años de arduo trabajo, se completaron todas las unidades requeridas para obtener mi licenciatura en ciencias en enfermería (BSN), y sentí que me quitaron un gran peso de encima. Ya no tenía que avergonzarme de estar sirviendo en una posición gerencial sin tener un título. Mi felicidad se expresó en lágrimas de alegría durante toda la ceremonia de graduación.

En 1991, mi madre, que solo tenía sesenta y siete años, comenzó a quejarse de dolor abdominal y, después de mucho ánimo, hizo una cita para ver a su médico. La llamé esa noche para obtener los resultados de su visita. Me informó que él le había recetado un medicamento y como no podía pronunciar el nombre del medicamento, me lo deletreó. Cuando deletreó la palabra Librax, no podía creer que acababa de pedirle un tranquilizante y la había enviado a casa; sin pruebas de laboratorio ni radiografías. Le dije que lo llamara y le pidiera una serie gastrointestinal superior e inferior, así como una prueba de vesícula biliar. Su médico ordenó las pruebas y descubrió que tenía cáncer de páncreas y le dijo que le quedaban seis meses de vida. Cuando llamé y hablé con el médico, me informó que en realidad solo le quedaban unos tres meses de vida.

Mi madre se negaba a tomar cualquier tipo de terapia contra el cáncer; probó algunos suplementos, pero finalmente los abandonó y comenzó a planificar su funeral. Mis hermanos y hermanas y yo acordamos que la cuidaríamos en casa y nos turnamos para cuidarla. Mi hermana Esther, que era maestra y estaba fuera durante el verano, venía el lunes por la noche y se quedaba hasta el jueves. Mi otra hermana y yo nos haríamos cargo de su cuidado. Se volvió más y más débil y ya no podía comer y finalmente murió en julio de ese año. Perder a nuestra madre fue muy duro para todos nosotros, y nos consolamos unos a otros lo mejor que pudimos.

Al año siguiente, mi sobrino Jason, de diecisiete años, y su hermano Justin se vieron involucrados en un accidente de tráfico y, lamentablemente, Jason perdió la vida. Todos estábamos en estado de conmoción cuando nos lo notificaron el fin de semana del Día del Trabajo en 1992. Todos viajamos a Prunedale para apoyar a nuestra hermana y cuñado, así como a nuestra sobrina y sobrino. La vida de Jason fue arrebatada demasiado pronto y su muerte nos impactó a todos profundamente. Nuestro sobrino Justin tuvo un largo período de recuperación con varias cirugías para reparar los músculos de su brazo y curar las cicatrices de las quemaduras.

Antes de que a mi madre le diagnosticaran cáncer, a mi padre le habían diagnosticado cáncer de próstata. El suyo era de crecimiento lento, y le dieron tratamientos de radiación. A principios de 1993, el cáncer de mi padre había hecho metástasis y estaba empeorando; estaba teniendo mucho más dolor y lo colocaron en cuidados paliativos. Como todos estábamos trabajando, contratamos a su media hermana, que había trabajado anteriormente como asistente de enfermería certificada, para que lo cuidara durante el día. Los seis nos arreglamos para pagar su salario y mi hermana menor se mudó con él para estar allí por la noche. Pudimos comenzar con una bomba de morfina para ayudarlo a controlar su dolor. Nosotros, nuevamente, pudimos cuidarlo en casa y permitimos que muriera en casa al igual que nuestra madre. Murió en septiembre de 1993. Celebramos un rosario y una misa para él tal como lo habíamos hecho para nuestra madre. Sin embargo, él había solicitado ser incinerado, y respetamos sus deseos, así que tuvimos un servicio para él solo con su familia inmediata en el cementerio cuando sepultamos sus cenizas junto a nuestra madre. Todos nos sentimos como huérfanos ahora que nuestros padres se habían ido, y nos aferrábamos a nuestros esposos/ esposas e hijos. Después de haber pasado por tres muertes durante tres años seguidos, todos contuvimos la respiración durante 1994 y dimos un gran suspiro de alivio cuando pasamos el año sin una muerte en nuestra familia. Antes de que mi madre muriera, me había pedido que hiciera todo lo posible para mantener juntos a los seis hermanos y hermanas después de que ella y nuestro padre se fueran, y entonces se hizo una promesa. Nuestra madre era más feliz cuando nos tenía a todos juntos a su lado. Así que fui con mi hermano y le conté sobre la promesa que había hecho y le pedí que me ayudara o que se quitara de en medio. Afortunadamente, accedió a ayudarme, y hemos mantenido un vínculo estrecho entre los seis, reuniéndonos durante la mayor cantidad de días festivos que podemos. Si uno de nosotros está en problemas, el resto está a su lado para apoyarlo. Sabemos que cuando podemos estar juntos, nuestros padres están en el cielo sonriendo.

Incluso a través de nuestras pérdidas, nuestras vidas continuaron. Después de recibir mi título de BSN, pensé en detener mi educación, pero decidí trabajar para obtener mi maestría (MSN). Ya que estaba en modo escuela, decidí que tenía sentido continuar. Mis tres amigas que también recibieron su título de BSN dijeron que ellas también obtendrían sus maestrías. Sin embargo, una de las tres se enteró de que estaba embarazada y por ser diabética tipo I decidió que no podía continuar. Las otras dos comenzaron el programa MSN pero lo abandonaron después de un semestre. Pensé en dejarlo especialmente los sábados por la mañana cuando tenía que levantarme para ir a la escuela. Le pedía a mi esposo que me dijera nuevamente por qué era necesario que me levantara de mi cálida y cómoda cama, y él siempre me decía que valdría la pena en el futuro. Así que seguí con las clases.

Elegí el papel de educadora para mi maestría y mis clases se impartieron en todo el estado. Cada dos fines de semana requería que viajara a una ciudad donde se ofrecía la clase. Conducía hasta Bakersfield el viernes por la noche después de salir del trabajo, me quedaba con mi prima Emily y me levantaba temprano a la mañana siguiente para conducir a Pomona o Escondido, donde se impartía mi clase. Regresaba a casa el domingo por la noche y luego volvía al trabajo el lunes por la mañana. En el medio, siempre había un ensayo que escribir. El suelo de mi oficina en casa era un desastre con referencias y artículos que estaba usando para escribir mis trabajos, esparcidos por toda la habitación. Otras clases requerían que condujera hasta Stockton, buscara un hotel para pasar la noche e ir a clase el sábado por la tarde y todo el domingo. Regresaba a casa el domingo por la noche y luego volvía al trabajo el lunes por la mañana. Algunos días, al mirar atrás, mi mente se pregunta cómo logré todo esto considerando que mi vida también estuvo llena de actividades extracurriculares como asistir a reuniones profesionales. Fue bueno que mis hijos crecieran. Mi ordenador y yo nos hicimos muy buenos amigos y se utilizó una gran cantidad de papel y tinta.

Capítulo 18

Perder un alma gemela

1 997 fue a la vez un año bueno y malo. Fui nominada por tercera vez para el premio RN del año, y la tercera vez fue la vencida ya que lo gané. Al haber sido nominada dos veces antes y no haber sido seleccionada, ya no esperaba ganarlo. Había volado a Orlando para presentarme en la Conferencia Nacional de Subagudos y volaba de regreso a Fresno la noche del evento. Como nos retrasamos en salir de Atlanta, perdí mi vuelo en Phoenix y tuve que esperar el próximo vuelo. La cena de premiación comenzó a las seis de la tarde, así que llamé a mi esposo y le pedí que trajera mi cambio de ropa al aeropuerto para poder cambiarme en el baño. Apenas llegamos a tiempo al evento. Como no esperaba ganar, no escuché mi nombre cuando se anunció mi nombre como ganadora de ese año. Fue una sorpresa maravillosa y estaba muy feliz de que tanto mi hijo como mi esposo hubieran asistido para presenciar la entrega de mi premio. Ese fue el último evento al que asistí con mi esposo.

En junio de este mismo año, mi esposo durante veintisiete años y mi alma gemela, quien era diabético y había estado discapacitado durante dos años debido a la pérdida de parte de su pie derecho, ahora se enfrentaba a tener que soportar una amputación de parte de su pie izquierdo. Había sido paciente en el Hospital Comunitario un año antes durante cuatro días, y ninguno de los miembros del personal de enfermería se molestó en revisar su pie izquierdo para asegurarse de que no hubiera presión del calcetín que le pusieron en el pie para mantenerlo caliente. Como estábamos en medio de una encuesta de la Comisión Conjunta, no revisé su pie izquierdo, pensando que eso lo estaba haciendo el personal de enfermería. Después de todo, ya había perdido parte de su pie derecho, por lo que un buen cuidado de enfermería dictaría que la enfermera revisara su pie izquierdo para asegurarse de que la piel estuviera intacta y que no hubiera presión sobre el pie. Cuando lo ayudé a vestirse para llevarlo a casa y le quité el calcetín, había una gran hendidura en la costura del calcetín que había presionado la parte inferior del dedo gordo del pie izquierdo y causó la hendidura. Antes de esto, no había nada malo con su pie izquierdo. Ver la enorme hendidura me hizo jadear porque sabía el problema que esto podría causar. Efectivamente, se convirtió en una ulceración. Durante un año, probamos diferentes técnicas para tratar de salvar sus dedos de los pies, pero fue en vano. Era muy difícil entender por qué las enfermeras que lo cuidaban, que sabían que estaba en el hospital para una revisión de amputación en su pie derecho, no revisaron su pie izquierdo sano para asegurarse de que no se estaba desarrollando ningún problema. El hecho de que este fuera el hospital donde yo trabajaba me llevó a contener mi ira por lo que había sucedido.

Cuando mi esposo se dio cuenta de lo que le esperaba, decidió escribir una carta al hospital quejándose de su atención. El gerente de riesgos del hospital respondió y afirmó que el hospital no tenía la culpa de lo sucedido. En lugar de asumir la responsabilidad por no haber evitado el incidente, no asumieron ninguna responsabilidad. Esto enfureció a mi esposo, y decidió buscar un abogado y demandar al hospital. Ningún abogado de la ciudad aceptó el caso. Tuvo que salir de la ciudad para encontrar un abogado. Debido a mi cargo administrativo en el lugar, le comenté que mi rol no me permitiría involucrarme en este juicio y que él tendría que manejarlo por su cuenta; ni siquiera quería saber el nombre de su abogado. Finalmente encontró un abogado en Walnut Creek que accedió a tomar su caso. Se reunió con su abogado, hablaron sobre su caso y comenzó el proceso de demandar al hospital, al fabricante de las medias y a uno de sus médicos.

Debido a que su dedo gordo del pie izquierdo no había sanado durante más de un año, su cirujano lo programó para una cirugía y el 4 de junio fue operado por una amputación de los dedos del pie izquierdo. Mi esposo no creía en las directivas anticipadas y, por lo tanto, no había llenado este formulario, así que dos noches antes de su cirugía le pregunté qué quería que hiciera si algo malo le sucedía durante la cirugía. Él preguntó: «¿Cómo qué?».

Dije: «Como si tu corazón se detuviera o tuvieras un derrame cerebral».

Como ya había estado discapacitado durante dos años, me informó que no quería que lo mantuvieran con vida en las máquinas. Entendí sus deseos y lloré hasta quedarme dormida esa noche. Hasta el día de hoy, no sé si esto fue una premonición o solo quería asegurarme de que sus deseos fueran claramente conocidos, pero estaba feliz de que se hubiera hecho la pregunta.

La madrugada del 4 de junio de 1997 fuimos al hospital donde estaba ingresado para operarlo. Estaba preparado para el procedimiento, y mientras esperábamos a que el personal de cirugía lo recogiera y lo llevara a la sala de operaciones, lo besé en los labios y no sentí respuesta de él, así que lo besé de nuevo y aún no obtuve respuesta. Al besarlo por tercera vez sin obtener respuesta, pensé que probablemente se debía a los medicamentos que le habían dado. El personal de cirugía vino a recogerlo y yo fui a mi oficina. Alrededor del mediodía su médico me llamó y me dijo que la cirugía había ido bien y que ahora estaba en la sala de recuperación. Me informó que había podido salvar la mayor parte de su pie izquierdo, y me alegró escuchar esa noticia y sabía que Joe estaría feliz. Mi calendario mostraba una cita para las doce y media, así que decidí esperar hasta después de mi cita para verlo. Mi cita se finalizó poco después de la una y al abrir la puerta de las oficinas administrativas, el capellán del hospital estaba corriendo por el pasillo. Me dijo que me había estado buscando y que Joe no estaba bien.

Subimos corriendo las escaleras hasta el segundo piso y nos precipitamos a la sala de recuperación donde mi esposo estaba siendo atendido en la parte de atrás de la sala. Empecé a moverme en esa dirección, pero un miembro del personal me detuvo y me llevó a una habitación lateral. Un poco más tarde, uno de los miembros del personal me acompañó a una habitación justo afuera de la sala de recuperación donde me indicaron que esperara. Mi jefe y otro vicepresidente estaban parados afuera de la sala de recuperación y la expresión de sus rostros me dijo lo mal que se sentían. Un poco más tarde, una de las enfermeras de la sala de recuperación entró y me dijo que el ritmo cardíaco de mi esposo se había reducido significativamente y que le estaban dando medicamentos.

No hay problema, pensé. *Un poco de atropina ayudará a que su corazón lata más rápido.*

Unos diez minutos después, entró otra enfermera de la sala de recuperación y me informó que su corazón había entrado en un ritmo agónico. Después de haber dado clases de cardiología para las enfermeras de cuidados intensivos y telemetría, me vino a la mente mi conocimiento de los ritmos cardíacos y al instante supe que esto no era bueno y que iba a enviudar a la edad de cincuenta años. Mi amigo, el cardiólogo del hospital, fue llamado al código y luego vino a hablar conmigo. Me dijo que quería llevarlo al laboratorio de cateterismo cardíaco y mirar su corazón. Él y el personal de cardiología intentaron desesperadamente salvarle la vida, pero fue en vano. Había sufrido un infarto importante debido a un bloqueo de la arteria coronaria principal. Me dijeron que debería llamar a mis hijos que vivían en San Diego en ese momento y contarles lo que había sucedido. Ya había llamado a mi hermana que vivía en el pueblo y ella estaba a mi lado. Tener que llamar a mis hijos y contarles sobre su padre fue una de las llamadas telefónicas más difíciles que he tenido que hacer. Viajaron de San Diego a Fresno de inmediato.

Mi esposo fue llevado a la unidad de cuidados intensivos con soporte vital, y caminar por ese pasillo hasta la UCI, un pasillo que había caminado muchas veces antes fue muy difícil. El cirujano cardíaco, mi amigo, fue llamado para colocarlo en un dispositivo de asistencia cardíaca. El médico de cuidados intensivos me preguntó cuánto tiempo faltaba antes de que llegaran nuestros hijos, y cuando se le informó que no llegarían hasta las diez de la noche, dijo que no estaba seguro de que tuviéramos tanto tiempo. Le dije que debíamos mantenerlo con vida hasta que llegaran nuestros hijos. También insistí en que se hiciera y leyera un electroencefalograma esa noche para que pudiéramos determinar cuánta actividad cerebral había mientras recordaba lo que me había dicho acerca de no querer que lo mantuvieran con vida en las máquinas. Mis hijos llegaron alrededor de las diez y media, y el resto de mi familia y amigos cercanos fueron llamados por mi hermana Mattie y todos vinieron a apoyarme. Le recetaron numerosos medicamentos para ayudar a mantener su presión arterial en niveles normales para la perfusión, pero fue en vano. Su EEG indicó muy poca actividad cerebral.

Al día siguiente, mis hijos y yo hablamos sobre sus deseos y tomamos la decisión de desconectarlo del soporte vital. Esta fue la decisión más difícil que he tenido que tomar; mi cabeza me decía una cosa y mi corazón otra, pero al final cuando se determinó que no había esperanza de supervivencia, tuvimos que respetar sus deseos y dejarlo ir a casa con Dios. Después de despedirnos, se apagó su ventilador, y mis hijos y yo nos paramos junto a su cama mientras respiraba por última vez y su corazón dejó de latir. Él se había ido. Mi alma gemela y su padre se habían ido.

Después de tomar esta difícil decisión, necesitaba desesperadamente que las enfermeras, mis empleadas y amigas, me dijeran que había tomado la decisión correcta al dejarlo ir, pero no pudieron hacerlo. Estaba empezando a sentirme culpable hasta que mi amigo, un trabajador social, John, se me acercó antes de salir del hospital y me dijo: «Pilar, hiciste lo correcto».

Vaya, entonces pude quitarme esa culpa de encima y me fui a casa para comenzar a hacer planes para su funeral. Hacer planes para su funeral fue muy difícil y agotador; gracias a Dios por mi familia que estuvo a mi lado en cada paso del camino. Tratar de elegir un ataúd fue difícil, pero siempre había dicho que Joe era el «viento bajo de mis alas», así que cuando vi un ataúd que tenía esas palabras exactas en el interior de la tapa, dije: «Este es». El costo no era importante para mí, y ni siquiera pregunté por el precio porque no importaba; habíamos encontrado el ataúd adecuado para él.

Muchas personas asistieron a su funeral, tanto familiares como amigos. Muchos de mis compañeros de trabajo asistieron y enviaron flores. De hecho, mi casa parecía una floristería con tantos tipos diferentes de flores y plantas enviadas por amigos. Tuvimos una recepción con servicio de catering en nuestra casa después del servicio de entierro, y fue reconfortante estar rodeado de todos. Un amigo mío que era abogado me dio un consejo que él da a otras personas. Él dijo: «Pilar, no hagas cambios ni decisiones importantes durante un año; no compres ningún artículo grande ni vendas nada durante un año».

Cuando la mayoría de la gente se fue, yo estaba exhausta e hice una pequeña siesta. Mi hijo Steve fue el último en irse un par de días después, y antes de irse me dijo: «Mamá, por favor, no llores», así que me mantuve así hasta que se fue y luego me metí en mi casa, tomé la foto de mi marido, la acerqué a mi corazón y me tiré al suelo y empecé a llorar. Sin embargo, mi llanto no duró mucho, ya que una amiga enfermera vino a visitarme y darme sus condolencias.

Una semana después de su muerte, mi jefe me ofreció el cargo de vicepresidente de cuidados continuos; este era el puesto para el que estaba entrevistándome cuando mi esposo tuvo su evento. Lo acepté y luego me fui de la ciudad para pasar unos días con una amiga en la costa. Recuerdo que me llamaron a una reunión especial antes de que tuviera programado regresar al trabajo. Conduje hasta la reunión, estacioné mi auto y antes de cruzar la calle para entrar al hospital, de repente me detuve. Sintiéndome congelada mientras estaba parada allí en la esquina, mi mente estaba acelerada y me preguntaba si realmente podría caminar de regreso al hospital donde mi esposo acababa de morir. Decidí que cruzaría la calle e iría a la reunión o daría la vuelta y me iría y no volvería nunca más al hospital. Decidí cruzar la calle e ir a la reunión.

Como había iniciado la maestría en enfermería, llamé a mi instructora y le informé de la muerte de mi esposo. Ella fue muy comprensiva y me dijo que podía dejar los estudios por un semestre y permanecer en el programa. Conociéndome a mí misma, sabía que abandonar los estudios incluso por un solo semestre sería un error, ya que había una buena posibilidad de que no regresara para terminar el programa. Al darse cuenta de que no abandonaría los estudios durante el semestre, pudo encontrar un curso de una unidad, gerontología, que podría tomar el próximo semestre y eso fue suficiente para ayudarme a permanecer y terminar el programa a tiempo.

Capítulo 19

Vida de soltera

Como nunca había vivido sola, ahora me enfrentaba con esa prueba. Pasé de vivir en casa con mis padres y mi familia a vivir en la residencia de la escuela de enfermería y compartir un apartamento con una amiga, y luego volver a casa hasta que me casé. Nunca me había preparado para vivir sola. Tenía miedo y me preguntaba cómo podía seguir viviendo sin él. Me tomé un mes libre del trabajo para encargarme de todos los trámites y notificaciones que había que hacer después de su muerte. Traté de hablar con un consejero de duelo, pero no sentí que pudiera ayudarme a lidiar con mi dolor. En su lugar, decidí escribir un diario para expresar mis sentimientos, haciendo anotaciones todos los días, a veces con mis lágrimas goteando sobre las páginas. Los domingos por la mañana después de la iglesia, iba a la tienda y compraba flores y visitaba su tumba; esa era mi rutina. A medida que pasaba el tiempo, iba escribiendo menos y ya no visitaba el cementerio con tanta frecuencia. Regresar al trabajo mantuvo mi mente distraída de la pérdida durante el día, pero al regresar a casa por la noche, encendía inmediatamente la televisión para escuchar algún tipo de sonido en la casa.

La vida no fue fácil para mí. Estaba bien entre semana ya que estaba rodeada de gente. Los fines de semana, por otro lado, eran muy duros porque estaba sola. Dos de las hermanas de mi esposo básicamente me habían abandonado y no eran muy amables; su hermana pequeña y su esposo se mantuvieron en contacto y me visitaban, junto con su hermano y su esposa. Me encontré yendo a los centros comerciales y comprando artículos innecesarios solo para estar rodeada de gente los fines de semana; me volví adicta a las compras, pero pude controlar mi comportamiento después de darme cuenta del impacto de mis acciones.

El abogado que mi esposo había contactado por su cuenta estaba en medio de la recopilación de información de mi esposo para construir el caso cuando mi esposo murió. Mientras recogía todas las posesiones de mi esposo, encontré la tarjeta de su abogado en su billetera. Pensando que necesitaba ser notificado de la muerte de mi esposo, lo llamé y le informé que mi esposo había muerto. Pensé que él simplemente cerraría el caso, pero en lugar de eso, me informó que ahora el caso se había convertido en una demanda por homicidio culposo y que todos estarían involucrados. Al informarle de mi puesto en el hospital, decidió que quería reunirse con mis hijos y hablar con ellos sobre el caso de su padre. Mis hijos hicieron arreglos para volver a casa para poder reunirse con él. Ambos decidieron que, dado que su padre había iniciado este caso, querían resolverlo por él. Sus palabras para mí fueron: «Puedes casarte de nuevo y tener otro esposo, pero nunca tendremos otro papá». Como ambos tenían más de dieciocho años, eran adultos y podían tomar sus propias decisiones. El caso procedió.

Finalmente, el caso terminó en un acuerdo, pero el hecho de que el hospital fuera uno de los demandados me causó incomodidad cuando mi jefe me preguntó sobre la demanda a pedido del abogado del hospital y otros me acusaron de demandar al hospital. Fue muy estresante para mí porque sentí que la gente me veía como una especie de traidora. Además del estrés, mis sentimientos eran de vergüenza por lo que había sucedido en mi hospital, ya que siempre me había sentido orgullosa de la atención que se brindaba a los pacientes, pero esta era simplemente una atención de enfermería deficiente. Le informé a mi jefe sobre mi no participación en la demanda y que eran mis hijos quienes habían decidido seguir adelante, y como ambos eran adultos, no podía decirles qué hacer; fue su decisión. Cuando finalmente dejé mi empleo en el hospital, sentí una verdadera sensación de alivio de toda la presión. Ahora era libre y sabía que nunca más tendría que volver a entrar en ese hospital.

Antes de la muerte de mi esposo, me había comprometido a hacer una presentación en Boise, Idaho, en julio, y habíamos hecho planes para usar este viaje como vacaciones, eligiendo viajar al Parque Nacional de Yellowstone como un viaje adicional. Mis muy buenos amigos, Ana y Carlos decidieron que harían planes para ir conmigo a Idaho y Yellowstone ya que aún no habían hecho planes de vacaciones. Estaba adolorida y deprimida y el suicidio cruzó por mi mente durante ese viaje más de una vez, pero no pude hacerle eso a mis hijos y mi familia. Me pregunté por qué seguía saliendo el sol cada mañana y luego me di cuenta de que el mundo y la vida no se detienen para nadie, independientemente de la situación. Tenía que tomar una decisión, podía convertirme en una alcohólica para tratar de ahogar mis penas o seguir adelante con mi vida. Elegí seguir adelante.

Habiendo escuchado los consejos de mi amigo abogado, no se tomaron grandes decisiones ni cambios en mi vida durante un año, aparte de asumir este nuevo puesto. Después del año, decidí renunciar a mi trabajo y mudarme a San Diego, donde vivían mis dos hijos, mi hermana y mi hermano. Puse mi casa en venta y comencé a buscar una casa en el área de San Diego. Mis padres habían muerto, así que realmente no había nadie en el área excepto una hermana para mantenerme aquí. Renuncié a mi cargo y acepté quedarme para orientar a los dos nuevos vicepresidentes que habían sido contratados. Estaba teniendo problemas para vender mi casa y mis planes para mudarme simplemente no iban bien. Mi director general y otros líderes no querían que me fuera, por lo que mi director general me hizo una oferta que simplemente no pude rechazar ofreciéndome el puesto de vicepresidente del departamento de educación. Acepté quedarme y asumir este nuevo rol.

En este puesto, me pidieron que me reuniera con un líder comunitario y el director de una escuela primaria local. Estaban preocupados por la tasa de desempleo de los padres de los niños en la escuela, y como el hospital era el empleador más grande en el área, pidieron reunirse con nosotros para ver si había un programa que se pudiera desarrollar. Mi jefe me pidió que desarrollara el programa, y como era casi Navidad, acordamos volver a encontrarnos después de las vacaciones de Año Nuevo.

Mis hijos y yo nos dimos cuenta de que no podíamos pasar la Navidad en casa sin mi esposo y su padre; no sería lo mismo, y necesitábamos hacer algo diferente. Así que reservé un crucero para los tres durante las vacaciones de Navidad y fuimos por la Riviera Mexicana a Puerto Vallarta, Mazatlán y Cabo San Lucas.

El día de Navidad, estábamos mis hijos y yo sentados en un bar en Mazatlán tomando un trago, y mi hijo me dijo: «Si alguien me hubiera dicho alguna vez que estaría sentado en un bar con mi madre el día de Navidad, les hubiese dicho que estaban locos». Y, sin embargo, allí estábamos, en Señor Frog's tomando una copa el día de Navidad.

La segunda Navidad después de su muerte, todavía no estábamos listos para pasar las fiestas en casa, así que reservé un condominio en Maui y pasamos las vacaciones en la isla. Lo pasamos maravillosamente, disfrutamos nuestro tiempo juntos y pudimos pasar las fiestas sin él. Al tercer año, pudimos volver a pasar las vacaciones en casa. Pasamos las vacaciones sin Joe por segundo año y nos estábamos recuperando.

La noche antes de que mi jefe y yo nos íbamos a reunir con el líder de la comunidad y el director, me di cuenta de que no se había preparado nada para nuestra próxima reunión como me habían pedido. Sentada frente a mi ordenador y poniendo mi cerebro a trabajar, desarrollé un programa llamado Jefferson Job Institute. Era un programa de seis meses que incluiría tanto instrucción en el aula como trabajo voluntario en diferentes áreas del hospital. Trabajando con el Distrito Escolar Unificado de Fresno, el programa GAIN del condado de Fresno (bienestar) y el hospital, pudimos tener instrucción en el aula durante tres meses para los participantes y luego tres meses de trabajo voluntario real en el hospital. Al final de los seis meses, si los estudiantes habían tenido éxito, eran confiables y habían demostrado iniciativa, y si había un puesto vacante, se les podía ofrecer empleo. El programa demostró ser muy exitoso y los participantes obtuvieron empleo en el hospital; algunos que todavía están trabajando allí hoy. Los participantes pudieron comprar su primer automóvil o casa, y el departamento de GAIN dijo que este era el mejor programa que tenían para sacar a la gente de las listas de asistencia social. Eventualmente, hasta cuatro escuelas se convirtieron en parte del programa, y los familiares de los participantes exitosos estaban ansiosos por ser parte del programa también. Además, otro punto a favor era que los hijos de los participantes que eran alumnos de las cuatro escuelas verían estudiar a sus padres, lo que los animaría a estudiar también.

Capítulo 20

Continuando con la vida

En 1999, fui seleccionada como una de las diez mejores mujeres profesionales y de negocios en el condado de Fresno y fui reconocida en un almuerzo junto con otras nueve mujeres. Me nominaron por todo el trabajo que había hecho en la comunidad y en el trabajo. Mi familia estuvo presente y ayudó a compartir mi felicidad. Habiendo trabajado con estudiantes y asesorado a treinta y cinco de ellos, también fui reconocida por la Fundación de Bienestar de California y me dieron un premio de $25,000 para utilizar como quisiera, junto con una medalla. La organización seleccionó a tres personas de todo el estado para reconocer su trabajo ayudando a los estudiantes de minorías y les entregó el premio. Fui invitada a Los Ángeles para recibir mi premio con las otras dos personas seleccionadas en California. Fue un gran honor para mí, y estaba muy feliz de haber sido seleccionada como ganadora.

Ese mismo año, teníamos una grave escasez de enfermeras y estábamos desesperados por contratar más. Estuve en un retiro de la junta del Hospital Comunitario en Tenaya Lodge en Yosemite con mi amiga la Dra. Carol D., quien era miembro de la Junta Directiva del hospital. Al final del día, estábamos sentadas en el patio tomando una copa de vino, y le compartí lo desesperados que estábamos por conseguir más enfermeras y necesitábamos que Fresno City College graduara a más de ellas. Me dijo que solo tenía cuarenta y seis espacios y que estaban en el sistema de lotería para seleccionar estudiantes para ingresar a su programa. Le dije que teníamos que hacer algo para cambiar eso porque el hospital tenía dieciséis empleados que habían completado todos los cursos de requisitos previos para el programa de enfermería y solo estaban esperando ser seleccionados por su sistema de lotería antes de poder comenzar. Decidimos tomar otra copa de vino para hacer una lluvia de ideas sobre lo que podíamos hacer. Al final de nuestra segunda copa de vino, habíamos dibujado un plan en una servilleta llamado Programa Paradigma de Enfermería, un programa de educación por contrato donde el hospital pagaría el dinero de la universidad para agregar otra clase de estudiantes de enfermería y proporcionaría instructores clínicos para ayudar a los estudiantes en su rotación clínica. Descubrimos que este programa le costaría al hospital alrededor de $80,000. Teniendo en cuenta que a un hospital generalmente le cuesta alrededor de $50,000 contratar a una enfermera, pensamos que los $80,000 para dieciséis enfermeras eran una buena inversión y, dado que tenía autorización para firmar hasta $100,000, seguimos adelante.

Después de que se hizo el anuncio, me encontré con uno de los miembros de la junta del hospital que me preguntó si esto no debería haberse presentado ante la junta para su aprobación. Debido a que creo en pedir perdón en lugar de permiso, dependiendo de la situación, simplemente pregunté: «Oh, ¿se suponía que debía hacer eso?». Para la Dra. Carol D. y para mí, esto fue una obviedad.

Como las enfermeras se graduarían en el año 2000, lo llamamos Paradigma 2000. No pasó mucho tiempo antes de que los otros hospitales del área se enteraran de este programa y me llamaran. Querían participar, así que desarrollamos un comité con miembros de cinco hospitales diferentes. Comenzamos este programa de dieciocho meses y a cada hospital se le permitieron cinco espacios para su personal. Si un hospital no necesitaba las cinco plazas, podían dar las plazas adicionales a los otros hospitales para que pudiéramos llenar las veinticinco posiciones. Los estudiantes que eran empleados del hospital y habían estado esperando que su nombre saliera en la lotería estaban emocionados, y los hospitales estaban felices de tener enfermeras adicionales. Dado que estos nuevos graduados ya eran empleados de los hospitales, no requerían orientación al hospital. Se comprometieron a trabajar para el hospital durante dos años después de completar el Programa Paradigma, y se volvió más popular que el programa regular de enfermería de veinticuatro meses.

Para ser elegible para el Programa Paradigma, los estudiantes debían haber completado todos sus requisitos previos, ser empleados del hospital en cualquier departamento y ser recomendados por su gerente o supervisor. Durante el período de diez años que duró el programa, graduamos 750 enfermeras adicionales para el Valle Central, lo que realmente ayudó a resolver la escasez de enfermeras en el área. Muchos de los graduados de este programa se acercaron a nosotros en las reuniones y nos agradecieron por implementar este programa especial que les permitió convertirse en enfermeras tituladas.

Estaba en una conferencia de liderazgo de enfermeras en San Diego cuando una enfermera se me acercó y me dijo: «Probablemente no me recuerde, pero pasé por el Programa Paradigma y me convertí en enfermera gracias a sus esfuerzos para expandir el programa en la ciudad de Fresno. Mi nombre había estado en la lotería durante dos años, pero nunca lo habían llamado. A través del Programa Paradigma, pude graduarme, regresé y obtuve mi licenciatura y maestría, ¡y ahora estoy trabajando en mi doctorado!». Agradecí mucho sus comentarios.

Después de dos años de duelo por la pérdida de mi esposo y cansada de vivir sola, decidí que era hora de conocer a alguien para tener compañía. Un par de hombres en el hospital me habían preguntado si estaba lista para empezar a salir de nuevo, pero no quería salir con nadie en el hospital para no dar pie a los chismes. Solo les dije que aún no. Me sentí mal mintiéndoles, pero sentí que era lo mejor. Decidí aprovechar esta oportunidad para conocer a alguien nuevo y, en ese momento, el periódico local tenía una sección personal que se publicaba todos los viernes, así que comencé a mirar los anuncios personales. Hubo varios avisos interesantes, y escuchar sus mensajes grabados antes de comenzar a responder a alguno de ellos me dio una ventaja. El primero sonaba muy sincero, así que decidí dejar un mensaje. Hacer contacto con otros y reunirme con ellos para almorzar en lugares públicos funcionó bien. Si bien todos fueron amables, no estaba interesada en continuar con la relación después de nuestro primer encuentro. No planeaba volver a casarme, solo quería algo de compañía. Después de unos dos meses, conocí a mi futuro esposo.

Mi teléfono sonó temprano un lunes por la mañana, y pensé que probablemente era mi hijo quien generalmente me llamaba los domingos por la noche, pero no lo había hecho ese domingo; por lo tanto, supuse que era él quien llamaba. Al escuchar una voz que no reconocí, sus primeras palabras fueron una disculpa por llamar tan temprano en la mañana, pero me dijo que había estado tratando de comunicarse conmigo y no había tenido éxito. Como iba a la escuela, trabajaba en mi maestría y viajaba fuera de la ciudad cada dos fines de semana para asistir a mis clases, nos tomó mucho tiempo encontrarnos. Habíamos estado hablando por teléfono durante dos meses antes de encontrarnos para almorzar y ver una película. En el momento de nuestra primera cita, tenía la sensación de que lo conocía después de hablar con él por teléfono todos los días durante dos meses. En nuestra segunda cita, me invitó a desayunar en Bass Lake y, después del desayuno, nos sentamos junto al lago y hablamos. Después de tres años de noviazgo, decidimos casarnos. A ambos nos encantaba la música de mariachis y habíamos comprado una mesa para el festival anual de mariachis invitando a su padre, hermanas, mi hermano y mi hermana y sus cónyuges a unirse a nosotros. Encontró una floristería en el evento, compró una rosa para cada una de las mujeres que asistieron a nuestra mesa y las envió, pero ninguna para mí. Luego volvió a la mesa con una docena de rosas rojas para mí y me propuso matrimonio y dije que sí.

La finalización de mi programa de maestría en 2001 fue un gran alivio y luego presenté mi proyecto para su aprobación. Nunca había hecho esto antes y no le pedí a nadie que lo leyera por mí antes de enviarlo. Eso fue un error. Me llamó el coordinador y me dijo que mi proyecto no había sido aceptado porque no había pasado. Me preguntó si le había pedido a alguien que lo leyera antes de enviarlo y mi respuesta fue «No». Ella me animó encarecidamente a hacerlo con mi próxima presentación. Me dijo que tendría una oportunidad más para presentar mi proyecto nuevamente y que si no pasaba una segunda vez, entonces tendría que repetir todo el programa de maestría. Estaba molesta y avergonzada por no haber aprobado y prometí hacerlo la segunda vez. Mi personal en el trabajo me dio una fiesta para celebrarlo y no tuve el valor de decirles sobre mi estado. De hecho, nadie supo de mi situación hasta más tarde. Volví a hacer mi proyecto y, esta vez, dos profesores me lo leyeron y me dijeron que aprobaría. Esperé ansiosamente la respuesta de la escuela sobre el estado de mi proyecto y me sentí muy feliz cuando recibí la llamada telefónica informándome de mi presentación exitosa y de haber aprobado el programa. ¡Sí! Podía agregar el MSN después de mi nombre.

Habiendo completado mi programa de maestría, ahora era el momento de concentrarme en planificar mi boda. Debido a que mi prometido se había casado antes y se había divorciado, tuvimos que trabajar con la Iglesia Católica para anular su primera boda antes de que se nos permitiera casarnos por la iglesia. Mi amigo, el padre Donal, que era el sacerdote católico asignado al hospital, nos ayudó con el papeleo y el seguimiento. Fijamos la fecha del 20 de abril de 2002 para nuestro matrimonio en la iglesia católica de Sanger, pero también teníamos un plan alternativo con un ministro para casarnos en el Belmont Country Club donde íbamos a celebrar nuestra recepción, en caso de que la anulación no fuese bien. Enviamos invitaciones y continuamos trabajando en nuestros planes de boda.

Un día, el padre Donal entró en mi oficina y me preguntó: «¿Qué te parece la iglesia St. Therese?».

En ese momento, le pregunté: «¿Me estás diciendo que no nos casaremos en la iglesia de St. Mary en Sanger?» y dijo que sí.

Aparentemente, el padre Donal había recibido la noticia de que la anulación había sido aprobada, pero debido a que los sacerdotes de Sanger aún no habían recibido la documentación, no nos permitieron casarnos en su iglesia de Sanger. El padre Donal había hablado con el monseñor en St. Therese y había accedido a que nos casáramos en su iglesia. Así que tuvimos que enviar nuevas invitaciones informando a nuestros invitados que nos casaríamos el 20 de abril pero que el lugar había cambiado. Así que tuvimos un hermoso matrimonio en la iglesia St. Therese y luego fuimos a nuestra recepción en el Belmont Country Club, donde nosotros y nuestros 180 invitados pasamos un buen rato. A la mañana siguiente, volamos a Cancún para nuestra luna de miel.

Había ocupado el cargo de vicepresidenta de educación durante un año cuando el nuevo director de recursos humanos convenció al director ejecutivo corporativo de que había demasiados vicepresidentes en la organización. En consecuencia, en 2002, siete puestos de vicepresidente fueron degradados a puestos de director; la paga siguió siendo la misma, pero nuestros títulos cambiaron. Lo interesante de este movimiento fue que los siete puestos que fueron degradados eran todos mujeres. La Junta Directiva estaba preocupada de que presentaríamos una demanda alegando discriminación, y supongo que podríamos haberlo hecho, pero ninguna de nosotras recurrió a esa acción. La gente se me acercaba y me preguntaba si estaba bien; mi respuesta fue que acababa de sobrevivir a la pérdida de mi esposo y que esto era una tontería comparado con eso. Consideré dejar la organización e incluso le pedí a mi jefe que me despidiera, pero él no quería hacer eso. Cuando el director ejecutivo de la empresa se enteró de que estaba pensando en irme, me llamó a su oficina y me preguntó qué haría falta para que no me fuera. Mi solicitud fue que me dieran una carta por escrito indicando que, si alguna vez me despidieran, sería a nivel de vicepresidente y no a nivel de director, ya que había una diferencia de seis meses en términos de la indemnización por despido. Me preguntó si no confiaba en ellos y mi respuesta inmediata fue «No». Esa tarde, me entregaron mi carta firmada por el director general de la empresa, en la que se decía que, si alguna vez me despidieran, sería a nivel de vicepresidente, lo que implicaba una indemnización de un año en lugar de seis meses. Tomé la carta y la puse en mi caja de seguridad. Mi trabajo como directora ejecutiva de educación continuó e implementamos nuevos programas que beneficiaron al personal.

En 2003, surgió la idea de desarrollar un programa de reconocimiento para las enfermeras que habían dado una vida de trabajo y dedicación a la profesión. Siendo aficionada a los deportes, sabía que estos tenían un mecanismo para reconocer a los grandes jugadores. Pensé que, si el béisbol y el fútbol podían tener un salón de la fama para sus jugadores, ¿por qué no uno para que las enfermeras reconocieran los logros de las grandes enfermeras del valle en diferentes áreas de la enfermería? Convocamos a los presidentes del Consejo de Liderazgo de Enfermería, Sigma Theta Tau, el Capítulo Mu Nu y la Escuela de Enfermería del Estado de Fresno, y nos reuníamos cada dos semanas en Uncle Harry's Bagel Shop, donde hacíamos una lluvia de ideas y eventualmente desarrollamos y presentamos el Valle de San Joaquín. Salón de la Fama de la Enfermería. Yo personalmente hice una donación de $500 a Fresno State a través de un fondo especial de enfermería para que comenzara. Desarrollamos e introdujimos los criterios de nominación, la hoja de puntuación de evaluación, el medallón especial y la placa que llevaría los nombres de los miembros. Los frutos de nuestro trabajo se materializaron cuando tuvimos nuestra primera celebración y ceremonia de juramentación en 2004 con dos líderes de enfermería. Fui incluida en el Salón de la Fama en 2005. Cada año, tenemos este evento donde se reconoce a las enfermeras por los logros de toda una vida y su nombre se coloca en una placa en el pasillo de la Escuela de Enfermería de Fresno State. Se otorga un medallón especial a cada persona que ingresa al Salón de la Fama. Así que cada año, enfermeras dedicadas y meritorias son nominadas e incluidas en el Salón de la Fama de la Enfermería.

Capítulo 21

Jefa ejecutiva de enfermería

Soy una firme creyente de que todo sucede por una razón. Poco después de que se llevara a cabo el cambio de título, se me presentó la oportunidad de ser la jefa de enfermería en el recientemente construido Fresno Heart Hospital. Mi objetivo desde el principio era convertirme eventualmente en la jefa de enfermería de un hospital, y ahora se me estaba brindando esa oportunidad. El Fresno Heart Hospital era propiedad conjunta de un grupo de cardiólogos y el Centro Médico Regional Comunitario, los médicos tenían una participación del 49 % y el hospital comunitario una participación del 51 %. Ya se había contratado a un CEO y un CFO, junto con el Director de Recursos Humanos, pero necesitaban contratar a una directora de enfermería. Acepté el puesto después de negociar mi salario inicial y comencé el arduo trabajo de preparar el hospital para abrir. El hospital era hermoso y parecía más un hotel que un hospital. El azulejo especial en el exterior del hospital había costado una fortuna y los muebles en todas partes eran elegantes.

Mi trabajo inicial fue contratar al personal de enfermería y preparar el hospital para la inspección del estado para que pudiéramos abrir. Esto significó establecer todas las políticas y procedimientos, configurar las unidades con suministros, aprobar las compras de equipos necesarios y capacitar al personal sobre el registro médico electrónico que usaríamos e identificar el liderazgo para el personal. Mi experiencia gerencial anterior me había preparado bien, pero el trabajo se hizo difícil debido a que el director general no entendía realmente las operaciones. Estaba más interesado en hacer que las instalaciones parecieran un hotel elegante en lugar de ser realista sobre cómo debía funcionar el hospital. Como ejemplo, sintió que los carros de emergencia distraían la atención de la belleza de la unidad y quería que se escondieran y almacenaran en gabinetes en lugar de dejarlos en la estación de enfermería donde podría estar disponible para su uso. No le gustaron las colchas que habían pedido porque no eran lo suficientemente bonitas. Quería colchas elegantes para las camas de los pacientes. Cuando se le informó que esto sería un problema de control de infecciones ya que las colchas tendrían que lavarse entre pacientes, no estaba contento. Insistió en que las enfermeras pudieran doblar las colchas y guardarlas en el armario antes de la admisión del paciente a la cama. Para mí, esto parecía frustrar el propósito de tener hermosos cubrecamas. Además, las enfermeras no iban a tener tiempo de doblar las colchas antes de admitir a los pacientes en las camas. Quería que el laboratorio y la farmacia le reportaran a él en lugar del director de servicios de atención al paciente o la enfermera jefe.

Se negó a escuchar las instrucciones del director ejecutivo corporativo porque quería hacer las cosas a su manera. No escuchaba a personas que tenían más experiencia operativa que él. Como ejemplo, insistió en que el estado viniera e inspeccionara el hospital para que abriera antes de que tuviéramos todo en su lugar, incluidos los medicamentos y los suministros. Cuando se llama al estado para que venga e inspeccione la apertura de un hospital, esperan que todo esté en su lugar y que todos estén listos para abrir el hospital al día siguiente. No estábamos ni cerca de ese punto y, aunque se lo dije, insistió en continuar. Me informó que estaba molestando a un par de personas que le informaron porque yo les dije que había ciertos requisitos que debían cambiarse para cumplir con el código. No querían creerme, pero al final, tuvieron que hacer los cambios que les había dicho que tenían que hacer. Finalmente le dije al director ejecutivo que, si quería a un florero como jefe de enfermería, entonces había elegido a la persona equivocada para este puesto, ya que mi trabajo era decirle lo que se necesitaba hacer operativamente para hacernos exitosos. Los inspectores estatales llegaron como estaba previsto, y cuando se dieron cuenta a las diez y media de la mañana que no estábamos listos para la inspección, decidieron irse; les habíamos hecho perder el tiempo. Una de las enfermeras inspectoras del estado que conocía bien por haber trabajado con ella anteriormente me llamó esa tarde y me dijo que, con mis años de experiencia, estaba sorprendida de que los hubiéramos llamado para que vinieran a hacer una inspección del hospital cuando no estábamos listos. Luché por responderle y traté de no decirle que el director ejecutivo no sabía lo que estaba haciendo y finalmente le dije que, aunque había intentado que nuestro director general cancelara la visita, se había negado. Terminé disculpándome por él y estaba enojada porque se había negado a escucharme y me puso en esta posición.

El director ejecutivo había establecido una política de contratación que establecía que todas las personas contratadas serían entrevistadas por él, el director financiero y la enfermera jefe, y tendrían que ser aprobadas por los tres antes de contratar a la persona. En una ocasión en particular, no autoricé una posible contratación. Resultó ser un amigo del hijo del director ejecutivo que trabajaba como segundo chef en la cocina. El hijo se quejó con su padre de que no autoricé a su amigo. Luego, el director ejecutivo envió un correo electrónico a todo el personal para informarnos que conocía a este solicitante desde hacía tres años y que sería un buen empleado y sería contratado. Frustrada, le dije que, si no iba a escuchar mi recomendación, ¿por qué iba a perder el tiempo entrevistando a empleados que no me iban a reportar? No me respondió. El individuo fue contratado, pero el primer día de empleo, mientras estaba en orientación, tuvo que ser sacado porque había fallado la prueba de drogas. El director de recursos humanos me llamó y me preguntó cómo sabía que no debía contratarlo. Mi respuesta fue que cuando has estado en el negocio tanto tiempo como yo, no era complicado identificar a las personas que usaban drogas. El director ejecutivo nunca me dijo nada y nunca discutimos la situación.

Después de dos años de trabajar con él, me estaba preparando para llamar al director ejecutivo corporativo y pedirle que me reasignara, ya que no podía soportar más el estrés. Casi al mismo tiempo, el director general de la empresa me pidió que almorzara con él. Me preguntó si estaba listo para asumir el cargo de directora ejecutiva del Heart Hospital, ya que había decidido que necesitaba hacer un cambio. Respetuosamente le pedí que no me hiciera eso porque los médicos pensarían que yo había pedido que despidieran al director ejecutivo para poder tener su trabajo. Le pedí que me dejara en mi puesto actual y nombrara a otra persona como nuevo director ejecutivo. Se nombró un nuevo director ejecutivo después de que despidió al actual. El director ejecutivo no salió de las instalaciones cuando fue despedido porque pensó que los médicos lo protegerían y no podían despedirlo, pero olvidó que la corporación tenía el 51 % de la propiedad y los médicos solo tenían el 49 %.

Los dueños médicos no estaban contentos con esta decisión y decidieron boicotear el hospital y cancelar todos sus casos. Uno de los médicos me preguntó si le había dicho al director ejecutivo corporativo que el director ejecutivo del Heart Hospital no sabía operaciones, y mi respuesta fue: «Sí». Cuando me preguntó por qué, respondí que ninguna persona era más grande que todo el hospital.

Debido al hecho de que éramos un hospital nuevo y nuestro censo apenas comenzaba a crecer, el personal tenía mucho miedo de que el hospital pudiera cerrar y todos perderían sus trabajos. Tuvimos una reunión con el personal y les dije que los médicos volverían; simplemente estaban enojados. Cuando preguntaron: «¿Qué haremos mientras tanto?», les sugerí que se pusieran al día con todo el papeleo que debía completarse mientras había una pausa en la acción.

Dos semanas más tarde, cuando se dieron cuenta de por qué habían despedido al director ejecutivo, los médicos volvieron a programar todos sus casos y todo siguió como siempre. Uno de los cardiólogos entró al laboratorio de cateterismo cantando la canción «The Boys Are Back in Town». Las cosas volvieron a la normalidad.

Capítulo 22

Dejando la red de seguridad hospitalaria

Tres años después de abrir el hospital, decidí que era hora de irme. Un cirujano vascular vino a mi oficina quejándose de que simplemente no podía entender por qué le dijimos a un médico que no podíamos hacer su caso cardíaco cuando estábamos tratando de levantar el negocio. No parecía entender que, si no teníamos una enfermera a corazón abierto para recuperar al paciente, el caso no se podía hacer. Después de esa conversación, me cansé del trabajo en el hospital y de que los médicos me gritaran porque no tenía suficientes enfermeras. Supongo que pensaron que tenía una máquina a la que simplemente podía girar el mango y producir más enfermeras. Me dije que ya era suficiente tratar de complacer a los médicos; mis días de recibir gritos de parte de los médicos habían terminado. Y después de treinta y siete años de trabajar en un hospital, tuve suficiente y era hora de dejar el ambiente hospitalario. El placer de trabajar en un hospital había terminado y quería una nueva experiencia. Había trabajado para la corporación durante treinta y siete años y ya no disfrutaba de mi trabajo; era hora de marcharme. Fue una situación aterradora salir del entorno hospitalario que había conocido durante toda mi carrera, pero es importante saber cuándo salir, para que te arriesgues y sigas adelante; así es como crecemos. Al recordar que tenía una carta en mi caja de seguridad que decía que podía obtener la indemnización por despido de un año junto con los beneficios, pedí que me despidieran y el director ejecutivo accedió a regañadientes.

Poco antes de mi decisión de marcharme, el propio director ejecutivo corporativo había sido relevado de su cargo y se contrató a un nuevo director ejecutivo corporativo. Cuando el nuevo CEO corporativo se enteró de mi paquete de indemnización, le dijo a mi jefe que no tenía derecho a la indemnización por despido de un año. Mi jefe le habló de mi carta y pidió verla. Así que fui a mi caja de seguridad y entregué la carta solicitada como prueba. El abogado del hospital luego redactó el documento de mi paquete de indemnización que tuve que firmar, prohibiéndome trabajar para un hospital competidor por un período de un año. Firmar esa carta se sintió muy bien, y luego procedí a preguntarle al abogado corporativo sobre mi capacidad para solicitar el pago por desempleo. Rápidamente me dijo que yo no era elegible. Sin hacer más preguntas, mi empleo con Community Medical Centers había terminado.

Antes de dejar este trabajo, me presentaron una oferta de trabajo de un colegio comunitario privado local para enseñar en el programa de enfermería. Necesitaba el cambio y me encantaba enseñar, así que mi respuesta fue que lo pensaría seriamente después de tomarme el verano libre. Tomarse todo un verano libre era algo que no había sido posible en el pasado. Me tomé todo el verano libre para viajar con mi esposo y hacer algunas de las cosas en mi lista de deseos. Volamos a Denver y luego manejamos a Dakota del Sur para ver el Monte Rushmore; volamos a México dos veces, una a León y otra a Guadalajara para escuchar y cantar con mariachis. Visitamos a nuestro hijo y a nuestra familia en San Diego y nos tomamos un tiempo para relajarnos y disfrutar el uno del otro. Ese fue un gran verano.

Mi esposo pertenecía a los Caballeros de Colón, y una noche en una de sus reuniones, mi amigo, que también era Caballero y había sido el DJ de nuestra boda, le preguntó a mi esposo por mí. Le informó que me acababan de despedir. Mi amigo que acaba de trabajar para el Departamento de Desarrollo de Empleo de California le preguntó si había solicitado el pago del seguro de desempleo, y mi esposo le dijo que el abogado del hospital me había informado que no era elegible. Le dijo a mi esposo que me hiciera llamarlo esa noche. Cuando lo llamé y le dije lo que me habían dicho acerca de no ser elegible, me dijo: «¡Por supuesto que eres elegible!», y me pidió que aplicara. Mi solicitud fue enviada esa noche y fue aprobada. Al recibir mi primer cheque, fui inmediatamente a la tienda Coach y compré mi primera cartera Coach. En algún momento, mi creencia es que el hospital intentó que mis pagos del seguro de desempleo se detuvieran. Cuando cuestioné esta acción con el Departamento de Desempleo, me pidieron que les enviara una copia de mi carta de indemnización. Al revisar la carta, descubrieron que la redacción era tal que me permitía recibir pagos por desempleo, por lo que seguí recibiendo el pago por desempleo junto con mi indemnización por despido hasta que acepté el nuevo trabajo en octubre.

Preguntarse si habría vida fuera del mundo hospitalario sería una nueva aventura. Una de mis políticas personales que siempre había usado era nunca mirar hacia atrás en una decisión. Una vez que se toma una decisión, simplemente hay que seguir adelante y no mirar atrás. Al salir del Community Hospital, me di cuenta de cuánto había afectado mi salud mental la muerte de mi esposo mientras aún trabajaba en el hospital donde murió. Cada vez que pasaba por la habitación del hospital donde había estado un paciente, o caminaba por el pasillo desde el laboratorio de cateterismo hasta la UCI donde había estado en una camilla, me impactaba. Al pasar por la sala de cuidados intensivos donde finalmente le quitaron el soporte vital y murió, me afectó, pero descarté los sentimientos ya que todavía trabajaba en las instalaciones. Cuando finalmente me fui, todos estos sentimientos llegaron al centro y me di cuenta del profundo impacto que me había dejado su muerte en este hospital.

Enseñé durante un año y luego acepté un puesto como gerente de proyecto gracias a una subvención que se había otorgado al Hospital Council of Northern and Central California. El gobernador Schwarzenegger le había dado al Valle Central una subvención de casi $500,000 para implementar cuatro proyectos de enfermería en el Valle Central. Primero, debíamos aumentar el número de enfermeras para el Valle Central. En segundo lugar, debíamos capacitar a más profesores de enfermería para poder aumentar el número de estudiantes de enfermería. En tercer lugar, debíamos implementar un sistema de ubicación clínica computarizado para la ubicación clínica de los estudiantes de enfermería. La última parte de la subvención fue para ayudar con la educación a distancia. Al trabajar con enfermeras líderes tanto en la academia como en el servicio en el Valle Central, pudimos cumplir con todos los requisitos de la subvención. Agregamos más de 400 enfermeras, capacitamos a sesenta y cuatro docentes de enfermería adicionales, implementamos un sistema computarizado de colocación clínica que todavía está vigente y brindamos educación de enfermería a distancia para el sur del valle. Con la finalización de la beca, tuve la libertad de buscar otro empleo.

El Instituto de Enfermería y Atención de la Salud de California (CINHC) buscaba contratar a un director de diversidad para el estado de California responsable de aumentar la diversidad de la fuerza laboral de enfermería en California. Estaba interesada en su misión y viajé al área de Los Ángeles para entrevistarme para este puesto. Entrevistaron a tres personas y me ofrecieron el puesto a mí, así que, tomando otro riesgo, me uní a CINHC. El puesto estaba siendo financiado por una subvención durante dos años, por lo que me quedó claro que, si no se podían encontrar más fondos, el trabajo tendría que terminar. CINHC tenía su sede en Berkeley, pero se me permitió permanecer en el valle y viajar en tren a Berkeley todos los meses para reunirme con el equipo de CINHC. CINHC fue dirigido por una líder de enfermería dinámica, exenfermera jefa de Kaiser y una líder de enfermería muy respetada en California, Dolores J. Reporté a Bob P., el administrador asistente y una persona divertida con quien trabajar, y supervisé un equipo muy dedicado de enfermeras que estaban tan apasionadas como yo por aumentar el número de enfermeras pertenecientes a minorías en el cuidado de la salud. Josie era una reclutadora dinámica con estudiantes, y ellos la amaban. Muchos estudiantes de minorías se animaron y buscaron una carrera de enfermería gracias a Josie. Juntas, desarrollamos una lista de organizaciones de enfermería de minorías en California y contactamos a estudiantes de minorías y los alentamos a buscar una carrera en enfermería. Desarrollamos un CD titulado «Rompiendo las barreras», que entrevistó a enfermeras de minorías y estudiantes de enfermería de todo el estado que compartieron las barreras y los desafíos que habían superado para alcanzar su objetivo de convertirse en enfermeras registradas. El propósito de este CD fue mostrar a los estudiantes de minorías que, si otros estudiantes como ellos lo lograron y alcanzaron sus metas, ellos también podrían hacerlo. Este CD se está utilizando en diferentes programas de enfermería en todo el país para alentar a los estudiantes de minorías a mantener su meta de convertirse en enfermeras y superar las muchas barreras que podrían enfrentar.

Al completar los dos años, dejé CINHC para trabajar en otra subvención con el Hospital Council of Northern and Central California para desarrollar una unidad de relevo médico. Este fue un nuevo desafío para mí, ya que nunca había trabajado en este tipo de programa. Tuve la suerte de trabajar con algunos líderes de atención médica dinámicos en el Valle Central, incluida Lynne A., quien era la vicepresidenta regional del Consejo del Hospital y había solicitado la subvención original con Kaiser Permanente. Pudimos abrir una unidad de descanso médico de ocho camas en Fresno Rescue Mission con una subvención apoyada por Kaiser Permanente. Sirvió como una unidad de relevo médico para las personas sin hogar que fueron dadas de alta del hospital pero que aún necesitaban atención de seguimiento para evitar que tuvieran que ser readmitidos en el hospital. Tuve la oportunidad de ayudar a amueblar un área designada de la Misión para proporcionar un lugar donde las personas sin hogar pudieran recibir atención poshospitalaria en lugar de estar en las calles. St. Agnes Hospital proporcionó ocho camas de hospital y Kaiser and Community Hospitals junto con St. Agnes cada uno proporcionó dinero para ayudar a respaldar la nueva empresa con la esperanza de disminuir la readmisión de pacientes sin hogar en los hospitales. Sierra Vista Clinic proporcionó la enfermera que siguió a los pacientes en la unidad de relevo. El programa fue exitoso, ha ampliado su capacidad y todavía existe en la actualidad. Este trabajo me ayudó a obtener más conocimiento sobre las necesidades de las personas sin hogar y la mejor manera de ayudarlos con su atención médica.

Capítulo 23

Mudanza a Academia

En 2011, una enfermera colega mía que vivía en San Diego supo que uno de mis hijos vivía en la zona y que yo había hablado de querer mudarme allí. Así que cuando una de las universidades privadas de la zona buscaba un director para su programa de enfermería en declive, me llamó y me preguntó si podía enviar mi nombre al rector de la escuela, que también era copropietario de la escuela privada. No estaba muy segura de si era una buena idea, pero nuevamente, estaba dispuesta a correr el riesgo y le dije que podía darle mi nombre. Ella me dijo que estaban dispuestos a pagar hasta $150,000 por el puesto. Pensé que la Junta de Enfermería Registrada de California (BRN) nunca me aprobaría para servir como directora de enfermería ya que no tenía ninguna experiencia como directora asistente en una escuela de enfermería. Conocí al rector en una visita anterior a la escuela para hablar con ella sobre el programa de diversidad de CINHC, ya que esta escuela atendía principalmente a estudiantes de minorías, por lo que me recordaba de esa reunión. Me llamó y me entrevistó por teléfono y me dijo que quería enviar mi nombre al BRN para su aprobación. Compartí mis preocupaciones con ella sobre la aprobación, pero le di permiso para enviar mi nombre. Seguí con mis asuntos sabiendo que la aprobación probablemente nunca llegaría. Para mi sorpresa, ella me llamó el día antes del 4 de julio y me dijo que había sido aprobado por la Junta. ¡Me quedé impactado! ¿Ahora qué? Estaba emocionada y asustada al mismo tiempo cuando dije que sí a su oferta. Cuando me preguntó sobre el pago, me ofreció $120,000, y nuevamente me arriesgué y le dije que no era suficiente dinero para que me mudara al área de San Diego, así que nos decidimos por $140,000. Ella necesitaba que yo comenzara lo antes posible, así que acordamos una fecha de inicio para la última semana de agosto.

Después de colgar el teléfono, le informé a mi esposo lo que había sucedido y comenzamos a hacer planes para mudarnos. No queríamos tomarnos el tiempo de vender nuestra casa, así que decidimos alquilarla. Ahora tendríamos que tratar de encontrar una casa en el área de Chula Vista, encontrar una empresa de mudanzas y comenzar a empacar. Encontramos una casa de un piso en Chula Vista cerca de donde estaba ubicada la universidad y trabajamos con una empresa administradora para alquilar nuestra casa. Como mis esfuerzos por mudarme a San Diego después de la muerte de mi esposo no se habían materializado, le pedí ayuda a Dios y le dije que, si quería que nos mudáramos, tenía que hacerlo realidad; lo estaba poniendo en Sus manos. Esta vez todo pareció encajar. Tuvimos que hacer tres ventas de garaje para vender todos los artículos que no íbamos a llevar con nosotros e hicimos planes para la mudanza. Esto continuó durante semanas hasta que vaciamos la casa. Empecé a empacar de inmediato. Trabajaba a tiempo completo, así que llegaba a casa todas las noches y necesitaba empacar una sección de la casa antes de poder acostarme; al día siguiente, estaba de vuelta al trabajo. Hicimos arreglos con una empresa de mudanzas para trasladar todos nuestros muebles, y la empresa administradora encontró un inquilino para nuestra casa. Estaba preocupada por alquilar mi casa como antes, mi primer esposo y yo teníamos una casa de alquiler, y no había más que problemas, pero los inquilinos parecían muy amables, eso nos tranquilizó un poco.

El siguiente trabajo fue encontrar una casa en Chula Vista, el pueblo donde estaba ubicada la universidad. Queríamos una casa de una sola planta, ya que era difícil para los dos subir escaleras, y finalmente pudimos encontrar una que nos gustara y que fuera de una sola planta. Había seis personas delante de nosotros que querían alquilar esta casa, por lo que nuestras posibilidades no parecían buenas. Sin embargo, después de demostrar mi salario inicial a la empresa administradora que alquilaba la casa, de repente pasamos a la parte superior de la lista y nos mudamos una semana antes de que comenzara mi nuevo trabajo. No se trataba solo de empacar nuestras cosas, sino que una vez que estábamos en nuestro nuevo hogar, ahora teníamos que desempacar todo y acostumbrarnos a vivir en nuestro nuevo hogar y aprender las diferentes autopistas y a movernos por el área. Mi hijo, mi nuera y mi nieta que vivían en el área nos ayudaron a desempacar. Estaban felices de tenernos más cerca, pero nuestro otro hijo y familia que vivían en el Valle Central estaban tristes de vernos partir. Mi hermano y su esposa en ese momento también vivían en el área, por lo que fue agradable poder pasar más tiempo con ellos.

Estaba emocionada y asustada de comenzar mi nuevo trabajo; otra toma de riesgos. Habiendo trabajado en hospitales la mayor parte de mi vida, este era un nuevo escenario para mí. Mi única experiencia en el mundo académico fue la pequeña cantidad de tiempo que dediqué a enseñar a enfermeras vocacionales licenciadas a convertirse en enfermeras registradas. Había una gran curva de aprendizaje por delante y la oración estaba en orden. El rector me había dicho que estaría disponible para ayudarme, pero justo antes de comenzar el trabajo, le diagnosticaron cáncer de páncreas y tuvo que someterse a un tratamiento, por lo que no estaba tan disponible como yo necesitaba más que por teléfono. Gracias a Dios por uno de los otros decanos, el Dr. M., quien me tomó bajo su protección y me ayudó. Trabajé muchas horas para tratar de aprender lo que se necesitaba, y después de unos días, este decano me dijo: «Muchacha, realmente trabajas».

Cuando le pregunté qué quería decir con ese comentario, me informó que el director que me había precedido llegaba a las nueve y media de la mañana, se sentaba y tomaba café hasta las once y media, hora de ir a almorzar y luego pasaba dos o tres horas en el almuerzo, regresaba y trabajaba un par de horas, y luego era hora de irse a casa. Con razón la escuela estaba en problemas; la gente no estaba haciendo su trabajo. Cuando se enteró de que el BRN venía de visita, renunció el día antes de que llegaran y dejó a la escuela y al subdirector en un gran aprieto.

Había mucho que aprender y tenía que hacerlo rápido. La escuela estuvo a punto de ser clausurada por el BRN de California debido a muchas deficiencias que no habían sido corregidas, y tenía mala reputación en el área con los otros programas de enfermería. Antes de mudarme allí para asumir el papel de directora, fui llamada por el Consultor de Educación de Enfermería de BRN para la escuela por orden del director ejecutivo de la Junta de Enfermería Registrada para asegurarse de que estaba al tanto de todos los problemas con la escuela. Uno de los directores de enfermería del Consorcio de San Diego también me dijo: «Tienes una gran reputación en el estado; debes saber eso, entonces, ¿por qué estás poniendo en riesgo tu reputación al asumir el papel de director en esta escuela?». Respondí que no me preocupaba mi reputación y que quería tratar de ayudar a que esta escuela y los estudiantes de enfermería tuvieran éxito. No siempre se trata de tomar el camino fácil; se trata de arriesgarse y marcar la diferencia. Independientemente de los problemas, no iba a dar marcha atrás ahora. Algunos de mis colegas de enfermería en todo el estado se preguntaban por qué aceptaba este desafío y trataron de disuadirme de aceptar el trabajo. Pero sentí lástima por los estudiantes, principalmente de minorías, y sentí que alguien tenía que dar un paso al frente para tratar de ayudar a que la escuela permaneciera abierta para que más de cien estudiantes de enfermería pudieran graduarse. Sabía que estaba asumiendo un gran desafío, pero siempre me han gustado los desafíos, así que para mí fue: «Malditos torpedos, adelante a toda velocidad».

Debido a que los estudiantes estaban asustados y no tenían un líder en su lugar ya que el director de enfermería se había ido el día antes de que llegara el BRN, había mucha ansiedad entre los estudiantes acerca de poder terminar su programa, por lo que llamaron al BRN para quejarse de no recibir ninguna comunicación de los líderes de la escuela. Entonces, incluso antes de mudarme a Chula Vista, establecí un sistema de comunicación para los estudiantes para tratar de mantenerlos informados. Implementé lo que se llamó el «Noticiero 1500» en el que se enviaba un correo electrónico a todos los estudiantes todos los martes y viernes a las tres de la tarde para proporcionarles información sobre lo que estaba sucediendo en la escuela. Mi primer día de trabajo tuve una reunión con todos los alumnos para tratar de calmar sus miedos. Inicié el proceso de contratación de personal de tiempo completo ya que anteriormente, el programa de enfermería solo había utilizado instructores por día o de medio tiempo. Si bien tuve una gran curva de aprendizaje ya que nunca había dirigido un programa de enfermería, tenía años y años de experiencia en administración que me ayudaban. Necesité toda mi experiencia en gestión para marcar la diferencia. Hubo un total de tres cohortes de estudiantes de maestría de nivel inicial, así como varias cohortes de estudiantes de enfermería familiar matriculados en la Escuela de Enfermería. Me reuní con todo el cuerpo docente y compartí mis expectativas, así como con los estudiantes, y prometí que haría todo lo que estuviera a mi alcance para ayudarlos a completar el programa. Esto pareció calmar sus temores y cesaron las llamadas al BRN.

Recuerdo que la Consultora de Educación en Enfermería me pidió que preparara un informe sobre nuestro progreso para poder presentarlo a la Junta para su próxima reunión. Escribí el informe de la manera que pensé que ella lo querría y me fui al aeropuerto para tomar mi vuelo de regreso a Fresno. Antes de mudarme, me había comprometido a hacer una presentación en Hanford al día siguiente, así que iba a volar de regreso a Fresno, quedarme con mi amiga Carolyn esa noche, levantarme a la mañana siguiente, hacer la presentación y luego volar de regreso a San Diego esa misma noche. Mientras estaba sentada en el aeropuerto esperando mi vuelo, me llamó el consultor de educación en enfermería a quien le había enviado mi informe y me dijo que el informe que había enviado era muy malo. Me dijo que debía rehacerlo con información más específica y que debía tenerlo a las nueve de la mañana del día siguiente. Preguntándome cómo podría volver a hacerlo, supe que no había otra opción. Después de llegar a la casa de mi amiga y cenar, pedí usar su ordenador. Empecé a hacerlo a las nueve de la noche y lo terminé a las tres de la madrugada. Tomé una ducha rápida, me acosté y dormí un par de horas. A las seis de la mañana ya estaba de pie para ir a Hanford a las ocho. Hice mi presentación, conduje de regreso a Fresno para tomar mi avión, y dormí todo el camino de regreso a San Diego. Esto fue una pista para mí sobre lo mucho que iba a tener que trabajar para ayudar a esta escuela.

Uno de mis trabajos como directora era encontrar ubicaciones clínicas en las instalaciones locales para que los estudiantes de enfermería completaran la rotación y las horas clínicas requeridas. Esto no fue fácil debido a la reputación de la escuela. Supe que antes de mi llegada, la administración de enfermería había alterado los registros que indicaban que una de las cohortes anteriores había completado su rotación pediátrica cuando, de hecho, eso no era cierto. La escuela no contaba con todo el personal requerido aprobado por BRN, la puntuación de en el examen nacional era inferior al 75 %, lo cual es un requisito de BRN, la escuela no tenía suficiente personal docente, no se implementaron políticas, etc., así que inicié el proceso de realizar los cambios necesarios para corregir las deficiencias.

Casi todos los meses se requería mi presencia ante el BRN para responder preguntas sobre los avances que estábamos logrando. Las reuniones fueron muy estresantes y en cada reunión hubo una amenaza de cerrar nuestro programa, pero trabajamos muy duro para convencer a la Junta de que nos diera más tiempo para cumplir con todos los requisitos. En cada reunión, me hacían sentir derrotada. Estábamos esforzándonos mucho para corregir los problemas, y aunque la Junta les dijo que apreciaban mi arduo trabajo, todavía estaban enojados con la escuela. Recuerdo orar a Dios para que me ayudara y decirle: «Sé que no me enviaste a Chula Vista para fracasar; por favor, ayúdame a salvar este programa de enfermería».

A veces, después de una reunión muy estresante, todo lo que podía hacer era irme a casa y llorar y luego regresar al día siguiente para trabajar en la corrección de los problemas. Por suerte para mí, tuve algunos profesores maravillosos que trabajaron conmigo y me apoyaron mucho, y fue a través de todo nuestro arduo trabajo que pudimos salvar el programa de enfermería.

En cada reunión, había un miembro del público que venía a la reunión en su escúter, y siempre iba al frente de la sala, lo que era perturbador. Mientras la Junta me interrogaba y hacía sus comentarios, ella saltaba de un lado a otro de la habitación, pasándose el dedo por el cuello en una acción en la que le decía a la Junta que nos cortara la cabeza; en otras palabras, cerrar nuestro programa. El hecho de que los miembros de la Junta no hicieran nada para detener su comportamiento o decirle que tomara asiento y fuera respetuosa lo hizo todavía más difícil para nuestra escuela ya que otros miembros del público parecían estar de acuerdo con ella. La llamé «Frenchie» y temía verla rodar su escúter en la habitación. Ella distraía mucho, ya que seguía entrando y saliendo con su escúter.

A veces tenía que sentarme frente a la Junta durante una hora y media, respondiendo preguntas. Cuando finalmente terminaron de hacer sus preguntas, sentí como si me hubiera atropellado un camión. Fue una experiencia horrible, que me dejó marcada y herida por la forma en que me trataron. El BRN estaba siendo abatido por el gobernador a fines de diciembre de ese año. Intentaron desesperadamente programar una reunión de la Junta antes de fin de año para hablar sobre nuestra escuela y tratar de cerrarla, pero no pudieron obtener quórum para la reunión, por lo que no pudieron tomar ninguna medida. Sentí la respuesta de Dios a mis oraciones.

Como dije anteriormente, uno de mis trabajos era encontrar la ubicación clínica para los estudiantes. Había una persona que había sido contratada como coordinadora de colocaciones clínicas, y cuando le preguntábamos si había encontrado las colocaciones clínicas en ciertas instalaciones, nos mentía y nos decía que teníamos las colocaciones solo para descubrir que eso no era verdad. Cuando no se presentó a trabajar un día, y nos dijeron que estaba en su auto llorando y que ya no podía continuar en el trabajo, nos dimos cuenta de que no teníamos las ubicaciones clínicas que ella nos había dicho que teníamos, y tuvo que luchar para encontrar las ubicaciones para los estudiantes. Dado que la escuela no estaba certificada a nivel nacional, el único hospital al que pudimos llevar a nuestros estudiantes para su experiencia clínica pediátrica fue el Navy Balboa Hospital. Debido al hecho de que ya no todos los hospitales cuentan con unidades pediátricas, es un verdadero desafío obtener ubicaciones clínicas pediátricas. La persona que hizo la programación del hospital era una persona a la que le gustaba asegurarse de que supieras que ella tenía el poder. Si ella no estaba contenta contigo, te gritaba y sermoneaba y parecía disfrutar haciéndote saber lo que habías hecho mal. Un día, después de que ella me gritara, mantuve la calma y le informé que, como adulto, a uno no le gustaba que le gritaran o le sermonearan, y que, si tenía algún problema con algo, se lo agradecería si lo dejara. Yo haría todo lo que estuviese a mi alcance para solucionar el problema. Debió haber sido algo incorrecto para decirle ya que esa noche me enteré de que ella canceló todas nuestras colocaciones clínicas pediátricas en el Hospital Navy Balboa que ya habían sido aprobadas. Eso nos puso en un verdadero aprieto, ya que pediatría era la siguiente rotación, y si no teníamos ubicaciones clínicas, el BRN tendría otra razón por la que deberían cerrarnos.

Esta acción me estresó totalmente y nos preguntamos cómo podríamos brindar la experiencia pediátrica que nuestros estudiantes necesitaban. Sabiendo que los otros directores de enfermería en el área no estarían dispuestos ni ansiosos por ayudar, ya que querían que se cerrara nuestro programa de enfermería, tuve que pensar más allá. Siendo miembro de la Asociación de Líderes de Enfermería de California (ACNL), mi búsqueda de ubicaciones pediátricas comenzó utilizando mis habilidades para establecer contactos para tratar de encontrar una ubicación alternativa. Nuestro director de operaciones me dijo que no me preocupara, que tenía un amigo que era el director ejecutivo de un hospital en Las Vegas y que estaba seguro de que nos dejaría llevar a nuestros estudiantes a su hospital para su experiencia pediátrica. Le informé que BRN nunca aprobaría esto ya que no era una instalación de California. Debido a que los espacios clínicos pediátricos son muy difíciles de conseguir, se hicieron muchas llamadas a colegas de todo el estado sin éxito. Finalmente, llamé a la directora del Hospital Shriners del Norte de California en Stockton, BJ, y le pregunté si podíamos llevar a nuestros estudiantes a su hospital después de explicarles lo que había sucedido. Ella tuvo la amabilidad de decir que sí; de hecho, me dijo: «Para ti, Pilar, cualquier cosa». Estaba encantada de haber encontrado una ubicación, pero ahora teníamos que trabajar en la logística de este plan. Me reuní con nuestra facultad de enfermería que me apoyó mucho y quería que nuestros estudiantes tuvieran éxito.

El primer paso para que esto sucediera fue hablar con nuestra instructora de pediatría y preguntarle si ella y su esposo estarían dispuestos a mudarse a Stockton y quedarse en un hotel durante un mes para que pudiéramos enviar a nuestros estudiantes a Shriners. Nos ofrecimos a pagar sus gastos de viaje y alojamiento y comida. Ella y su esposo estuvieron de acuerdo.

Luego, tuvimos que dividir la cohorte en cuatro grupos y trabajar con el director de operaciones, quien usó su tarjeta de crédito personal para hacer reservas de vuelos y hoteles para todos los estudiantes. Cada uno de los cuatro grupos fue a Stockton durante una semana y completó su rotación clínica en turnos de doce horas y complementó las horas con simulación. Los estudiantes recibieron una gran experiencia clínica en el Hospital Shriners atendiendo a sus pacientes pediátricos y sintieron que su experiencia pediátrica había mejorado al atender a los pacientes del Hospital Shriners. Regresaron entusiasmados con su experiencia y con la enfermería pediátrica. Al finalizar el mes, todos respiramos aliviados ya que todos los estudiantes habían completado sus horas de pediatría en su totalidad.

Sintiendo que esto había sido una injusticia para nuestros estudiantes, le escribí una carta a la capitana, la enfermera jefe del Hospital Naval, explicándole lo que había sucedido. Al no poder hablar con ella antes de tener que enviar a los estudiantes a Stockton, se le informó lo sucedido y se le recordó que muchos de nuestros estudiantes eran veteranos y tenían derecho a hacer su rotación clínica pediátrica en el Navy Balboa Hospital. Ella estuvo de acuerdo. La persona que había cancelado todas nuestras ubicaciones fue reasignada a otro puesto. Después de que esto sucedió, un par de otros directores de enfermería en el área me contactaron y me dijeron: «Hemos estado tratando de deshacernos de ella durante años; ¿cómo te las arreglaste para hacerlo en tan pocos meses?». Mi respuesta fue que no toleraba ningún comportamiento irrespetuoso.

Los tres grupos de estudiantes que estaban registrados en la escuela a mi llegada pudieron graduarse. Mi trabajo estaba hecho, y me sentí muy bien por este logro. Volvió a surgir mi deseo de jubilarme, por lo que, habiendo dado aviso al presidente de la Universidad de los Estados Unidos, se inició la búsqueda de un nuevo director. Mi esposo me preguntó si nos quedaríamos en Chula Vista o regresaríamos a casa. Mi respuesta fue que yo era una chica del Valle y quería volver a casa. Mi empleo en la universidad terminó a mediados de junio cuando se incorporó un nuevo decano de la escuela de enfermería. El rector de la universidad me dijo que me iba a recomendar para ser miembro del Patronato de la Universidad, y me nombraron para ese puesto al año siguiente.

Capítulo 24

Regreso a casa

Habíamos alquilado nuestra casa y la empresa administradora había encontrado a nuestra última inquilina. Si bien comenzó a pagar el alquiler a tiempo, después de unos meses, se atrasó y luego dejó de pagarlo. Sus suegros que se habían mudado con ella y su esposo se habían ido, y poco después de que se fueran, su esposo se mudó y ella se quedó sola para pagar el alquiler. Encontró nuevos inquilinos para mudarse a la casa que no estaban aprobados e incluso había gente viviendo en el garaje. Para ahorrar dinero, dejó de regar el pasto, las plantas y los árboles, y como era un verano muy caluroso, todo comenzó a morir. La casa parecía estar en ejecución hipotecaria cuando finalmente nos enteramos de la situación. Vinimos a casa para revisar las cosas y hacerle saber que nos íbamos a mudar y que necesitábamos que ella estuviera fuera de la casa. Ella no quería irse, pero ya tenía cinco meses de retraso en el pago del alquiler y necesitábamos nuestra casa. Cuando llegamos a revisar, comenzamos a regar los árboles, las flores y el pasto, y ella estaba muy molesta porque estábamos usando energía que ella tenía que pagar. Trató de decirme que nos íbamos a meter en problemas porque no era día de riego, a lo que le respondí: «¿Desde cuándo tienen días de riego en el condado?». Incapaz de hacer que dejara de regar, envió a su pitbull, que en realidad era solo un cachorro, y salió corriendo cuando lo asusté. Continué regando, y luego ella llamó al alguacil y se quejó de que estábamos invadiendo. Cuando llegó el *sheriff* y me preguntó qué estábamos haciendo, mi respuesta fue que simplemente estábamos cuidando nuestra propiedad. Pronto me di cuenta de que los inquilinos parecían tener más derechos que los propietarios. Fue difícil sacarla de la casa, pero finalmente se mudó llevándose mi microondas, el recipiente para cubiertos del lavavajillas y otros artículos.

Uno de los artículos que habíamos dejado atrás cuando nos mudamos a Chula Vista fue el antiguo columpio del porche de mi madre. Trató de vendérselo a mi hermana que había pasado por su venta de garaje. Ella no sabía que era mi hermana y procedió a decirle que ella y su familia habían hecho el columpio. Afortunadamente, mi hermana me llamó de inmediato y pudimos evitar que lo vendiera. Supongo que la gente es capaz de casi cualquier cosa cuando necesita dinero. Trató de decirme que en realidad estaba vendiendo un columpio para niños. Le dije que estaba mintiendo, ya que mi hermana ciertamente sabría la diferencia entre el columpio de mi madre y el columpio de un niño. El golpe se salvó. Mi esposo también había dejado un tráiler en la casa y ella le dijo a un amigo que podía llevárselo porque mi esposo había muerto y no lo necesitaría. Después de regresar a nuestra casa, tuvimos que buscar el remolque y, afortunadamente, lo encontramos no muy lejos de nuestra casa. Llamamos al *sheriff* y le contamos la situación. Nos acompañó a la casa donde habíamos visto el tráiler que ahora estaba lleno de basura y pudimos recuperarlo. El *sheriff* nos dijo que una pandilla de ladrones vivía en la casa donde habíamos encontrado nuestro tráiler. Trajimos nuestro tráiler a casa, con basura incluida.

Regresamos a casa casi dos años después de habernos ido a Chula Vista. Recuerdo haber regresado durante dos días cuando vi un tractor tirando de un remolque a través de una intersección y pensé: ¡Estamos en casa!

Antes de dejar la Universidad de los Estados Unidos, una amiga de Fresno State me llamó y me dijo que había oído que me iba a mudar y quería saber si estaba interesada en trabajar en Fresno State. Le dije que podría estar interesada en un trabajo de medio tiempo, pero no de tiempo completo. El puesto era el de director del Centro de California Central para la Excelencia en Enfermería. Fui entrevistada por el decano de la Facultad de Salud y Servicios Humanos y me ofrecieron un puesto de medio tiempo a pesar de que el trabajo requería una persona de tiempo completo. Mi trabajo principal era trabajar con la facultad de enfermería en proyectos de investigación y encontrar subvenciones para la Escuela de Enfermería, que pude trabajar con un equipo para obtener más de 2 millones de dólares en subvenciones. Una de las subvenciones fue para financiar una unidad de salud móvil para realizar pruebas de detección de diabetes, presión arterial y colesterol para personas en áreas rurales. La licenciatura de los estudiantes de enfermería y los estudiantes de enfermería de familia, con su facultad, dominó la unidad. Este ha sido un programa muy popular que todavía se utiliza hoy en día. Trabajé con la facultad de enfermería y los ayudé a solicitar subvenciones para su programa. Disfruté trabajar con ellos y trabajé en estrecha colaboración con el decano para implementar y completar varios programas.

Capítulo 25

La tragedia golpea de nuevo

Mi esposo Félix y yo habíamos estado casados durante trece años. Nos casamos en 2002 y disfrutamos mucho de viajar, ir al cine, visitar a nuestros hijos y nietos. Me enseñó a disfrutar el tequila y el béisbol. Félix amaba a sus nietos y ellos lo amaban a él; lo llamaban papá y él los mimaba. También me mimaba, me llamaba su reina, nos preparaba la cena todas las noches para que yo no tuviera que cocinar después de trabajar todo el día. Me preparaba mi taza de café por las mañanas e incluso sacaba mi auto del garaje por mí por la mañana. Disfrutamos pasar tiempo con sus hermanas y su familia y disfrutamos de nuestras vacaciones en México en nuestro tiempo compartido en Cabo San Lucas. Como nació en México, era como una persona diferente en su propio país y se convirtió en mi guía turístico personal mientras visitábamos muchas ciudades diferentes en ese hermoso país.

Poco después de nuestro matrimonio, comenzó a tener síntomas cardíacos de dificultad para respirar, indigestión y cansancio al esforzarse. Después de mucho insistir, finalmente buscó atención médica y fue derivado a un cardiólogo. Su electrocardiograma mostró cambios durante la prueba de esfuerzo y se le programó un cateterismo cardíaco al día siguiente. Estuvo en el laboratorio de cateterismo por poco tiempo cuando su cardiólogo salió y me dijo que tenía un bloqueo grave en la arteria coronaria principal y que necesitaba una cirugía a corazón abierto al día siguiente porque el bloqueo era demasiado alto para colocar un estent.

A la mañana siguiente, se sometió a una cirugía a corazón abierto y, mientras se lo llevaban, recuerdo haberle dicho: «No te atrevas a morirte, Félix». Tardó en despertarse después de la cirugía y estuvo en el hospital durante cinco días y se recuperó en casa. Sin embargo, su presión arterial alta de larga data había afectado su corazón y desarrolló insuficiencia cardíaca congestiva y fue tratado con medicamentos durante los primeros años. Finalmente, debido a que la fracción de eyección de su corazón era muy baja, le colocaron un marcapasos/desfibrilador en el pecho y su cardiólogo lo siguió de cerca. La vida volvió a ser buena y disfrutamos muchos días juntos.

El 6 de junio de 2015, nuestro hijo, nuestra nuera, su sobrino y nuestros nietos habían venido de visita. A la mañana siguiente desayunamos, y como era un día caluroso, los nietos querían ir a nadar y convencieron a Félix de salir a la piscina con ellos. Estaba jugando con ellos mientras yo estaba en la casa fregando los platos del desayuno y mi hijo había ido al pueblo a comprar algunos juguetes para usar en la piscina. Mi nuera entró en la casa y me dijo que algo le había pasado a Félix. Se había tirado a la piscina y no había salido a la superficie. Salí corriendo y ayudé a sacarlo de la piscina. Inmediatamente entré en mi modo de enfermera haciendo RCP cuando mi nuera, Alisha, llamó al 911. Él no respondía y la RCP continuó hasta que llegaron los paramédicos. Podía oír la sirena a lo lejos y un helicóptero volaba por encima. Los paramédicos le desfibrilaron el corazón, pero no hubo respuesta. Lo metieron en una ambulancia y lo llevaron al hospital, haciendo RCP todo el tiempo. Corrí a la casa para cambiarme, y la esposa de mi hijo llamó y me llevó al hospital. Sabiendo que Félix estaba mal del corazón, no estaba segura de que sobreviviera a este evento, y no lo hizo. Murió el 7 de junio de 2015, rodeado de mi hijo, yo, su hija, su hermano y sus hermanas.

Como había perdido a mi primer esposo, sabía qué esperar con respecto a los arreglos del funeral. Toda mi familia vino a estar conmigo y mis amigos me apoyaron mucho. Me consoló el hecho de que no había sufrido una muerte larga y dolorosa, pero el impacto de perderlo fue muy duro. Perdí a mi primer esposo un 5 de junio y a mi segundo esposo un

7 de junio; en consecuencia, no me gusta el mes de junio. De hecho, la última semana de mayo, empiezo a sentirme deprimida y triste y esto dura hasta después del 7 de junio; sucede todos los años y, por lo tanto, planeo ser más amable conmigo misma durante este tiempo, y mi familia sabe que necesito apoyo durante esta época del año y me lo brindan a través de llamadas telefónicas y tarjetas.

Félix quería ser incinerado, así que hicimos los arreglos con la funeraria. Rezamos el rosario por la noche y la misa de cristiana sepultura a la mañana siguiente. Mi hijo, Jeff, pronunció el elogio, y nuestras dos nietas también hablaron, habiendo escrito sus propias palabras que querían compartir sobre él; fue muy conmovedor. La iglesia estaba llena de amigos y familiares, y después del servicio tuvimos una agradable recepción en uno de los restaurantes mexicanos favoritos de Félix. Una vez más, mi familia y mis amigos me ayudaron a superar esta pérdida y todas sus tarjetas y palabras amables me consolaron. Me di cuenta de que Félix era realmente amado por las personas que lo conocían. Su hijo, que no había hablado con él durante mucho tiempo, vino a dar el pésame, y me pregunté por qué no había podido venir a visitar a su propio padre mientras aún vivía. Ahora era demasiado tarde.

Cuando mi familia y amigos se fueron, una vez más me quedé sola. Nunca cuestioné a Dios por qué yo por segunda vez. Reconocí el hecho de que Dios debe haber querido que él volviera a casa, y no me correspondía a mí cuestionar por qué. A menudo he dicho que, si pierdes a un padre, compartes esa experiencia con tus hermanos y te apoyas mutuamente. Si pierdes a un hijo, por difícil que sea, compartes esa experiencia con tu cónyuge tratando de consolarse mutuamente. Pero cuando pierdes a un cónyuge, recorres ese camino solo, ya que nadie más sabe cómo fue estar casado con esa persona. Ahora lo estaba caminando por segunda vez, y el sol seguía saliendo cada mañana y la vida avanzaba sin parar. Mi trabajo también era seguir adelante.

Ya que lo había logrado una vez antes, sabía que podría hacerlo esta vez; no había otra opción. Me tomé un mes de descanso para atender todas las notificaciones que había que hacer y cerrar cuentas. Cuando terminó el mes, estaba feliz de volver al trabajo para no pensar en la pérdida. Echaba de menos mi café y el periódico de la mañana y que me sacara el coche por la mañana; extrañaba su humor y su voz, pero sabía que se había unido a Joe para cuidarme en el cielo. De alguna manera, eso ayudó a aliviar mi dolor y tristeza.

Recuerdo haberle dicho a mi hermana Mattie que nunca me volvería a casar; dos veces era suficiente, y yo no quería pasar por este dolor de cabeza una tercera vez, pero ella me dijo que estaba segura de que volvería a encontrar el amor. Yo discrepé enfáticamente. Me sumergí en mi trabajo en Fresno State mientras hacía planes para vivir como soltera una vez más. Veía parejas tomadas de la mano mientras caminaban juntas y lloraba al darme cuenta de cuánto extrañaba a Félix. Mi nieta Gracie empezaba a llorar cada vez que alguien mencionaba su nombre, y le tomó más de un año superar la pérdida, ya que estaba muy unida a él. Él le había regalado un gran muñeco de Mickey Mouse, y ella llevó ese muñeco con ella a todos lados durante casi un año; ella todavía duerme con él. Casi un año después de su muerte, su familia, mi hijo y su familia y yo nos juntamos y esparcimos sus cenizas. Aunque ya no estaba vivo, sabíamos que siempre estaría con nosotros en nuestros corazones.

Capítulo 26

Recuperarse por segunda vez

Antes de la muerte de Félix, una colega enfermera se puso en contacto conmigo y me preguntó si estaría interesada en presentar una solicitud para formar parte de la Junta de Enfermería Registrada de California. Habiendo discutido esta decisión con Félix, quien siempre me apoyó mucho y estaba orgulloso de mis esfuerzos y logros, me animó a postularme. Después de pensarlo mucho, mi solicitud fue enviada al gobernador de California para su consideración. Pensé que era irónico que, en el pasado, había sido una persona normal que se presentaba ante la Junta para defender a mi escuela, y ahora mi solicitud estaba siendo revisada para un posible nombramiento en la Junta de Enfermería Registrada de California. Junto con mi solicitud, se presentaron cinco cartas de recomendaciones de líderes de atención médica. Me animaron a buscar cartas de apoyo del Caucus de Mujeres Hispanas y otras organizaciones de minorías en el estado. Sin embargo, dado que no conocía a nadie en esos comités, no lo hice y sentí que, si no podía ganarme el puesto por mis propios méritos, entonces probablemente no merecía ser seleccionada para servir. Este proceso comenzó en abril de 2015 y fue un largo período de espera debido al proceso de investigación. Después de meses de esperar y preguntarme si todavía me estaban considerando, recibí la confirmación de la oficina del gobernador de que no solo estaba todavía en el proceso de investigación, sino que era la candidata número uno para el puesto. En octubre de 2015, mientras me encontraba en San

Diego para asistir a una reunión de la Junta Directiva de la Universidad de los Estados Unidos, recibí una llamada de la oficina del gobernador Brown para informarme que había sido designada miembro de la Junta por un período de cuatro años. Había llegado al punto de partida. Sentí que este nombramiento era el pináculo de mi carrera de enfermería. Lo único que lamenté fue que Félix había muerto antes de que yo fuera nombrada miembro de la Junta; habría estado muy orgulloso. Sabía que me estaba animando desde el cielo. Asistí a mi primera reunión como miembro de la Junta en enero de 2016 y terminé mi mandato el 1 de junio de 2019.

Consideré un honor haber servido a mi profesión y estaba orgullosa de mi servicio. Esto me mantuvo muy ocupada ya que había reuniones fuera de la ciudad todos los meses excepto los meses de julio y diciembre cuando la Junta no se reunía. La mayor parte del trabajo consistía en revisar casos antes de cada reunión: los casos eran de enfermeras que habían perdido su licencia o habían sido puestas en período de prueba y ahora buscaban su reincorporación. Inundada con material de BRN para revisar, decidí no buscar un segundo término. Una de mis metas cuando me designaron para el BRN era que la Junta viniera a Fresno y celebrara una reunión en el Valle Central. Cuando me acerqué por primera vez a los otros miembros de la Junta sobre la reunión en Fresno, se mostraron reacios, pero les dije que no me rendiría hasta que se celebrara una reunión en Fresno. Feliz de informar que la Junta se reunió en Fresno no solo una vez durante mi mandato de cuatro años, sino dos, y los estudiantes de enfermería estaban muy agradecidos de tener la oportunidad de ver a la Junta en acción en su propio patio.

Mientras trabajaba para Fresno State, tuve la oportunidad de viajar a Cuba con un grupo de líderes de enfermería de California. Yo era la única del Valle Central de San Joaquín que formaba parte del grupo. También había dos personas del área de Stockton que se unieron a este grupo. Pudimos visitar hospitales, clínicas y escuelas de enfermería en Cuba y conocer cómo se brinda la atención médica en este país. Me impresionó la forma en que brindaron atención, especialmente las visitas domiciliarias de médicos y enfermeras que eran responsables de mantener la salud de su comunidad local. Fue una gran oportunidad para aprender sobre Cuba, ver los hermosos autos antiguos que se habían mantenido y ahora se usan como taxis, comer buena comida y beber mojitos. Siempre recordaré este viaje como uno de los mejores momentos de mi carrera.

Después de trabajar para Fresno State durante cuatro años, mi deseo de jubilarme finalmente salió a la luz y le entregué mi carta de renuncia al decano. No quería que me fuera y me pidió que me quedara, pero ya estaba decidido. Poco después de eso, una colega enfermera, Roxanna S, enfermera de una comunidad de fe, se puso en contacto conmigo y me dijo que el obispo y monseñor querían saber cuándo me jubilaría. Cuando le pregunté por qué, me dijo que la diócesis tenía una subvención en la que querían que yo trabajara para ellos. Antes de tomar la decisión de aceptar o rechazar la oferta, accedí a hablar con el monseñor que me dio la información sobre la subvención. Debatí si quería asumir esto, pero mientras lo pensaba, me dije que había hecho mucho por mi profesión, pero cuestioné qué había hecho por mi iglesia además de cantar en el coro. Así que decidí aceptar la oferta de trabajar en la subvención de dos años para brindar servicios de salud y educación a los hispanos en las áreas rurales de la diócesis que se extiende desde Merced hasta Bakersfield e incluye a Tehachapi.

Entonces, después de haber fracasado en la jubilación tres veces, comencé mi trabajo con la diócesis y desarrollé un plan de alcance para visitar los nueve vicariatos de la Diócesis de Fresno. Llamaría y pediría al jefe de cada vicariato que hablara con sus sacerdotes en una de sus reuniones de vicariato. Se nos invitaría a presentar información sobre el proceso de la encuesta con la esperanza de que se nos invitase a encuestar a los feligreses hispanos de al menos una parroquia en el vicariato. Una de las iglesias en el Vicariato de Fresno había desarrollado una encuesta de salud en inglés que había sido aprobada por la diócesis e hicimos la traducción al español. Una vez que se identificaba una parroquia, asistíamos a la misa y presentábamos información sobre la encuesta y pedíamos a los feligreses adultos que completaran la encuesta y nos la entregaran al final del servicio. Descubrimos que recibimos la mejor respuesta cuando el párroco los animaba a completar la encuesta y enfatizaba la importancia de obtener la información contenida en la encuesta.

Una vez recolectadas las encuestas, se tabularon con toda la información contenida en ellas y se elaboraron gráficas para cada parroquia donde se distribuyó la encuesta. El sacerdote podría entonces ver las necesidades educativas de sus feligreses hispanos, y la educación sobre los temas de necesidad podría desarrollarse y presentarse a los feligreses hispanos. Antes de comenzar a distribuir cualquiera de las encuestas en español, teníamos la hipótesis de que considerando que la diabetes y las enfermedades cardíacas eran altas entre los hispanos, estos dos temas serían de gran interés para los feligreses hispanos. Nuestra hipótesis resultó ser cierta, pero nos sorprendió descubrir cuántos hispanos también querían información sobre el manejo del estrés. Como trabajé con la Escuela de Enfermería del Estado de Fresno para obtener la subvención original para la unidad de salud móvil, pude hacer arreglos para llevar la unidad de salud móvil a las iglesias rurales y usar los servicios para evaluar a los feligreses. Lo habíamos usado por primera vez en una convocatoria de sacerdotes celebrada en Visalia. Los sacerdotes estaban un poco vacilantes y nerviosos por averiguar sus cifras con respecto a la presión arterial, el colesterol y la glucosa en la sangre, pero el obispo dirigió el grupo y, con un poco de insistencia, los sacerdotes lo siguieron. Fue interesante ver su reacción después de someterse a la proyección. Estaban como niños pequeños muy felices con sus resultados y queriendo compartirlos con sus compañeros sacerdotes y las enfermeras.

Las zonas rurales fueron el lugar perfecto para llevar la unidad móvil de salud. Muchos de los hispanos en las áreas rurales no tienen un médico de atención primaria y hay pocas instalaciones médicas, si es que hay alguna. Estas personas tienen que viajar a las ciudades más grandes para recibir atención preventiva, y muchas no confían en el sistema de atención médica de los Estados Unidos. Llevarles atención médica fue importante porque muchos de ellos no buscan atención médica preventiva por no tener seguro, falta de transporte y tener que pagar para que alguien los lleve al médico, miedo a la deportación, ser monolingüe (español), etc. A través de la unidad móvil de salud, los pacientes con presión arterial muy alta o niveles muy altos de azúcar o colesterol en la sangre son identificados y luego derivados para su seguimiento ya sea con un médico, clínica o sala de emergencia o atención urgente. Muchas de estas personas no tenían idea de que tenían un nivel muy alto de azúcar en la sangre y tenían diabetes o una presión arterial tan alta que estaban en peligro de sufrir un derrame cerebral. Un educador diabético también salió con la unidad móvil de salud y pudo explicar los alimentos correctos y las porciones que estas personas deben comer. Es imposible determinar cuántos accidentes cerebrovasculares o infartos pudo prevenir esta unidad móvil de salud, pero estamos seguros de que se han salvado vidas. Un beneficio adicional de la unidad de salud móvil fue que abrió los ojos de los estudiantes de enfermería que pudieron ver las necesidades de atención médica de las personas pertenecientes a minorías en las áreas rurales y los dirigió hacia la enfermería de salud comunitaria. Además de los exámenes, los estudiantes de enfermería pudieron administrar vacunas contra la gripe proporcionadas por el departamento de salud del condado. Las personas que aprovecharon los servicios de la unidad móvil agradecieron mucho los servicios y la información recibida. Había pensado que mi trabajo con la diócesis terminaría después de que terminaran los dos años de la subvención y que podría jubilarme por cuarta vez. Por desgracia, el obispo decidió que la diócesis necesitaba tener un ministerio de salud como un servicio, por lo que mi trabajo continúa, sirviendo a los menos afortunados para ayudarlos a obtener un mejor conocimiento de su salud.

Mi hermana Mattie tenía razón en su predicción. Tuve la suerte de encontrar el amor por tercera vez después de haber conocido a mi tercer esposo a través de Félix. Cuando Félix y yo nos casamos, un joven arrogante estaba haciendo discos en mi propiedad. Estaba feliz de que cortaran todas las malas hierbas, pero Félix siempre se quejaba del mal trabajo que haría el joven. Después de estar cansado de escucharlo quejarse, le dije que, si no estaba contento con el trabajo del joven, debería buscar a alguien más para hacer el discado, y así lo hizo. Encontró a David Samoulian. David era dueño de su propio negocio, David's Custom Tractor Work, y tiene todos los grandes equipos. Tuve que admitir que David hizo un trabajo mucho mejor con el discado. Al no conocerlo al principio, mi trabajo consistía simplemente en escribir el cheque para pagarle por sus servicios. No supe que David y Félix habían desarrollado una buena amistad hasta después de la muerte de Félix. Aparentemente, después de que David terminara de tocar, Félix sacaría su botella de tequila y le serviría un trago a David, y se sentarían a conversar. Cuando Félix murió, David me llamó y me preguntó si podía venir a darme sus condolencias y le dije que sí. Unos días después, mientras mi hijo Jeff y su familia estaban aquí, vino y tuvimos una conversación agradable. En ese momento no sabía que su padre acababa de morir. Antes de irse, me dijo que la próxima vez que mi propiedad necesitara atención, él era el responsable. Pensé que era un gesto muy agradable y lo llamé varios meses después.

Me llamaba por teléfono para ver cómo estaba y me dijo que, si alguna vez necesitaba ayuda, solo lo llamara. Una vez, después de llamarlo para que cortara la maleza en mi propiedad, accidentalmente cortó una línea de agua con su disco y tuvo que apagar la bomba para poder arreglar la rotura. Se olvidó de volver a encender la tubería principal de agua y, al regresar a casa de una función esa noche, no había agua. Después de revisar la bomba e intentar abrir el grifo principal, todavía no había agua, así que lo llamé. Me dijo que tenía que girar el grifo muy fuerte hacia la izquierda, pero no se movía y no tenía fuerzas para hacerlo, así que vino tarde en la noche a abrirlo para que hubiera agua en la casa. De nuevo, un gesto muy agradable. Descubrí que tiene un corazón de oro, es muy respetuoso y siempre está dispuesto a ayudar a los demás. Su buen sentido del humor y alegría hace que la vida sea interesante. Después de ese evento, empezamos a hablar más a menudo, y el resto es historia. Nos casamos el 26 de mayo de 2018, en el jardín, con la asistencia de familiares y amigos cercanos. Queríamos que nuestra familia estuviera muy involucrada en nuestra ceremonia, por lo que su nieta, Maddie, y mis nietas Breanna y Gracie fueron nuestras damas de honor júnior, y mi nieto Adrián (AJ) me acompañó por el pasillo. Mi hermana Esther fue mi dama de honor y su buen amigo José fue su padrino. También asistieron su hijo Michael y su esposa Vibha, así como su hijo menor Mark. La esposa de Mark, Lara, no pudo asistir debido a restricciones de viaje. Tuvimos una boda pequeña, con mucha buena comida, música y el amor de familiares y amigos. ¿Qué más podíamos haber pedido en nuestro matrimonio? Conocidos me han dicho a menudo que hay algunas personas que nunca encuentran el amor; quieren saber cómo he podido yo encontrarlo tres veces. No sé la respuesta a esa pregunta, pero reconozco lo afortunada que he sido de haber encontrado a tres hombres que me han amado.

Capítulo 27

Terminando una hermosa carrera

A menudo he dicho que, si mi carrera tuviera que terminar mañana, ¡diría que ha sido un viaje fabuloso! No ha habido arrepentimientos reales aparte de no unirme al servicio. Se me presentaron oportunidades maravillosas y, a veces, se tomaron riesgos que me ayudaron a crecer como enfermera trabajando con personas maravillosas. He recibido muchos premios y reconocimientos por mi trabajo y estoy agradecida por todos ellos. El día de mi graduación en 1968, no podría haber imaginado que mi carrera habría seguido el camino que tomó. Durante los últimos cincuenta y tantos años de enfermería, he tratado de tener un pequeño impacto en la profesión.

Hubo algunos mentores maravillosos a lo largo de mi viaje, y estoy agradecida por todo lo que me enseñaron. Mi objetivo siempre ha sido ser mentora de otras enfermeras que han seguido mis pasos, así como de otras personas con las que trabajé a lo largo de los años y traté de nunca olvidar mis raíces.

Recuerdo haber servido como mentora de un estudiante de enfermería en Fresno City College. Ella me llamó un día y me dijo que iba a dejar el programa de enfermería. Cuando le pregunté por qué lo haría a la mitad de su programa, me dijo que acababa de suspender su examen, que nunca había tenido tiempo para estar con su hijo de tres años y que sus amigos le dijeron que ya no era divertida. Recordando lo que había practicado cuando era estudiante en la escuela secundaria al levantarme muy temprano para estudiar, le sugerí que probara este método. La información estaría fresca en su mente, su hijo estaría dormido, por lo que no le quitaría tiempo a él, y no le quitaría tiempo a sus amigos a menos que los llamara y ¿por qué querría hacer eso? Después de hablar mucho, finalmente accedió a intentarlo. A la semana me llamó, muy emocionada, diciéndome que había sacado una B en su examen, por lo que se iba a quedar en el programa. Esa fue una gran noticia. Le perdí el rastro después de la graduación.

Un par de años más tarde, cuando me pidieron que hablara con un grupo de estudiantes minoritarios de secundaria en Fresno State que estaban interesados en una carrera en el cuidado de la salud, me informaron que habría otra enfermera hablando con los estudiantes junto a mí. ¡Fue maravilloso ver que ella era la otra enfermera! Fue una gran sensación de satisfacción. Habiendo tenido la oportunidad de hablar en muchos eventos y graduaciones, siempre animo a los estudiantes a que nunca abandonen su sueño; nunca dejes que nadie te disuada de tu sueño, y comparte las sabias palabras que mi madre me enseñó, ¡Donde hay voluntad, hay un camino!

Estoy agradecida con Dios por permitirme alcanzar mi sueño de convertirme en una enfermera licenciada. Agradecida con mis padres y abuelos que me criaron, y con todas mis tías y tíos que se preocuparon por mí. Mis hermanos y hermanas por amarme y apoyarme entonces y ahora. A mis esposos, Joe, Félix y David por darme la libertad de ser yo misma, disfrutar de mi carrera y amarme. A mis hijos, Steve y Jeff, por ser comprensivos y mis animadores y mostrarme su amor a lo largo de los años; mis nueras, Bárbara y Alisha, por ser mujeres grandiosas, solidarias y amorosas. Doy gracias por mis nietos, Breanna, Gracie y Adrián (AJ) por ser los mejores y tan adorables. Agradezco a mis colegas enfermeras y buenos amigos por trabajar y colaborar conmigo, y ser mi roca cuando más lo necesitaba; a los médicos por enseñarme, a los estudiantes por desafiarme y a todos mis pacientes por permitirme cuidarlos. De hecho, ha sido un viaje maravilloso, y mi esperanza es que de alguna manera hice una diferencia en la vida de las personas y de alguna manera retribuí a mi profesión.

Espero que mis palabras y mis experiencias que se han compartido en este libro puedan ayudar a alguien que se esté preguntando si puede superar las barreras y los desafíos para alcanzar sus metas. Es importante que sepan que, durante mis más de cincuenta años de carrera, tuve que superar muchas barreras, desafíos y contratiempos. Como humana que soy, pensé en rendirme cuando las cosas se pusieron difíciles, pero me enorgullece decir que nunca lo hice. Soporté abuso físico, mental, verbal y sexual, y soy muy afortunada de que nunca tuve un ataque de nervios ni tuve que ser internada en un centro psiquiátrico y pude resolver mis muchos problemas con la ayuda de familiares y amigos. Frente a la adversidad, siempre buscaba lo positivo de la situación y tenía un dicho, «dale la vuelta»; convertir lo negativo en positivo y esa forma de pensar me sirvió bien.

Quiero que las personas sepan que, si se lo proponen, si realmente lo desean, pueden hacer cualquier cosa siempre que no sea ilegal, inmoral o poco ético. Puede que no sea fácil, pero como mi padre me decía a menudo: «Nada bueno llega nunca fácilmente». Mi esperanza es que, si a través de estas palabras he podido llegar a por lo menos una persona compartiendo mi historia; si es así, entonces siento que he tenido éxito. Viví mi vida, alcancé mi meta de convertirme en enfermera licenciada, crie a dos hijos maravillosos y pude hacerlo a mi manera.Sobre la autora

Nacida como la mayor de seis hijos de trabajadores agrícolas inmigrantes, comenzó la escuela hablando poco inglés, pero estaba decidida a sobresalir y alcanzar su sueño de convertirse en enfermera licenciada y, a pesar de tener consejeros en la escuela secundaria que estaban decididos a que se convirtiera en secretaria, no dejó que nadie la disuadiera de su sueño y demostró a todos los que dudaban de ella que la determinación era la clave del éxito. Graduada de un programa de diploma de enfermería en 1968, comenzó su carrera como enfermera de planta y ascendió en la escala administrativa para convertirse en directora ejecutiva de enfermería. Después de obtener su maestría, sintió la libertad de buscar oportunidades fuera del entorno hospitalario. Es bien conocida en los círculos de enfermería de todo el estado por su conocimiento, habilidad y experiencia, así como por su pasión por ayudar a otros estudiantes de minorías a tener éxito. Ha recibido muchos premios y reconocimientos por su trabajo; la piedra angular de su exitosa carrera fue que el gobernador Jerry Brown la nombró para servir en la Junta de Enfermería Registrada de California.

Printed in the USA
CPSIA information can be obtained
at www.ICGtesting.com
LVHW040303130823
754841LV00002B/396

9 781960 753250